JN034509

八時間労働制

萩沢清彦著

＊理論・実務編＊

有斐閣双書

はしがき

労働基準法は、労働時間の原則と例外とを一定の基準にしたがって分類列挙している。しかし、その規定を個々に検討してみても、実際に行われている労働時間制の形態が明らかになるわけではない。労働時間の現実の形態は、労働基準法が規定している原則と多くの例外とが複雑な形で組み合されて成り立っているからである。

したがって、現実の労働時間の形態を分析するにあたっては、単に条文の解釈をするにとどまらず、その規定が定めている諸原則ないしは例外が現実の企業経営形態においてどのように用いられているかというところにまで立ち入らなければならない。たとえば、変形労働時間制は規定の文字の上では八時間労働制の変形を定めたものにすぎないが、現実には交替制や変形週休制などと結びついて運営されているのであり、このような実態を明らかにするためには、条文の解釈と現実の労働時間形態の分析という両面から、いわば上からと下からとの検討がなされた上で、その両者の綜合的な構成が必要とされる。

本書においては、まず労働時間の原則のみをもって組み立てられる労働時間形態の基本型を設定し、これを企業経営形態の変化に応じて具体的に展開させながら、どのような企業経営形態の場合にどのような労働時間形態の変化が生じるか、それは労働基準法のどの規定の適用であるかを検討するという方法をとってみた。このような検討を完全に行うには、労働時間形態を規定するあらゆる要素を考慮にいれなければならず、周到な調査を必要とするのであるが、個人の作業としての限界と分析の不十分とが手つだって、資料も完全には消化しえず、結局、著者が従来から疑問をもってきた労働時間形態と法規定との関連を手さぐりしながら、条文解釈をややくわしくしたような中途半端なものに終ってしまった。したがって、あるいは実務家にとっては常識にすぎないようなことを列挙したにすぎないものであるかもしれないが、これを、このような方向からの労働時間問題検討の一つの段階として、他日の完成を期したいと考える。

本書がかなり風変りな構成のものであるにもかかわらず、著者のわがままをいれて刊行のはこびにこぎつけえたのは、有斐閣編集部の大橋祥次郎、中沢郁代両氏の努力によるものである。深く感謝の意を表する。

昭和四一年七月

著者

目　次

第二章　八時間労働と労働基準法……五三

序章　なぜ八時間労働制を問題としてとりあげたか

――この本を書いた目的――

八時間労働から週四〇時間労働へ

八時間労働制は、国際労働条約（ＩＬＯ条約）第一号である「工業的企業における労働時間を一日八時間、一週四八時間に制限する条約」（一九一九年）、いわゆる八時間労働条約によって、労働時間についての国際的基準としての地位を確立し、第三〇号「商業および事務所における労働時間の規律に関する条約」（一九三〇年）の採択をもって、一応の体系を完成した。

しかし、八時間労働制は、その体系の完成と同時に、新たな基準に道をゆずるべく運命づけられていた。かつて、一日一〇時間労働制が主要諸国に普及して労働時間について国際的基準となると同時に八時間労働制によってその地位をおわれたと同じ歴史が、ここにくり返されようとしている。労働条件の基準がつねにとらなければならない宿命ともいえよう。そして、八時間労働制、厳密にいえば一日八時間・週四八時間労働制にかわって、労働時間についての新たな基準の地位にのぼろうとしているのが、週四〇時間労働制である。

労働時間短縮問題の展開

八時間労働制が一応その体系を完成してから五年後のＩＬＯ第一九回総会（一九三五年）は、「労働時間を一週四〇時間に短縮することに関する条約」（四七号）、いわゆる四〇時間制条約を採択した。この条約そのものは、「各締盟国は、(a)生活標準の低下を来さざるよう適用せらるべき一週四〇時間制の原則、及び(b)この目的を達成するに適当と認められる措置をとり、または、これを助成すること」を承認することを宣言するにとどまり、具体的な基準を定めたものではない。しかし、これを契機として、ＩＬＯ条約においても、各国においても、労働時間の短縮は理論の段階から実現への現実の日程の段階となり、わが国においても、労働時間の短縮の問題は、いわゆる「時短闘争」として毎年の春闘の目標にかかげられるばかりでなく、使用者にとってすら、もはや避けることのできない命題の一つとなってきている。

八時間労働制は使命を終っていない

このように一日八時間・週四八時間労働制が週四〇時間制にその地位をゆずるのはもはや時間の問題であるとさえみられる現段階において、あらためて八時間労働制の問題をとりあげようとするのは、あるいは無用のことと考えられるかもしれない。しかしながら、労働時間制の実態を直視すると、八時間労働制は、いまだなお、完全な意味で使命を終ったものということはできない。

八時間労働制がなお使命を終っていないというのは、八時間労働制の基準に達しないで長時間労働の下にあえいでいる一部中小企業や特殊産業がいまだなお残っているからということではない。そのような例外は、いつの時代にも、どのような制度についても避けることができない現象であり、ある制度が完全にその使命を終ったときですら、なお例外現象として生きのびることさえある。ここで八時間労働制がまだ使命を終っていないとは、つぎのことをいうのである。

八時間労働制は現実には複雑な形態をとっている

八時間労働制は、すべての産業・事業において一律一様に展開されているわけではない。近代的企業の生産形態、操業状態の複雑性・多様性は、八時間労働制を原則として採用しながら、現実には、さまざまな変化・適応によって、八時間労働制そのものの展開の形態をも複雑多様なものとしている。

<例一>　本社が東京にあり、支店が大阪と金沢と仙台とにある会社を考えてみよう。一〇月三日(月)の昼休に従業員が課長によばれて、本日終業後に出張するよう命ぜられた。一〇月四日(火)の午前八時(始業時)までに大阪支店へ到着し、四、五、六の三日間に所要の事務を終えて七日(金)午前八時までに金沢支店に到着、事務打合せの後、さらに八日(土)正午までに仙台支店へ行き打合せの後、一〇日(月)の会議に出席して、一一日(火)午後三時までに本店へ帰着するようにとのことである。

さて、終業後に出発して明朝八時までに大阪支店へ到着するようにということであれば、その日の夕方の新幹線で大阪へ着き一泊するか、おそい夜行で発って明朝早く大阪へ着くかのどちらかである。かりに新幹線で行くとして、出発から大阪到着までの所要時間は時間外労働として取り扱われるのであろうか。それとも労働時間にはならないのであろうか。業務に従事していないから労働時間ではないといえばいえないこともないが、会社の命令によって拘束されていることはたしかだし、せっかく楽しみにしていた子供の誕生日のお祝いも流れてしまったし、自分の家で休んでいるのと同じに扱われるのは、どうもわりきれない感じがしないでもない。大阪から金沢へ、金沢から仙台へ、仙台から東京への所要時間についても同様である。また、夜行を利用する場合には、夜中の車中時間を深夜業として取り扱うかどうかも問題になる。さらに、仙台滞在中の日曜日はどうなるのか。これも就業をしないのだから労働時間外となるだろうか。子供をつれて映画へ行く約束がふいになってしまったが、それも会社の出張命令のためなのだから休日労働扱いにしてもらうわけにはいかないであろうか。

別に何の変てつもない一般の企業でも、このように問題がおこる。

＜例二＞　あるタクシー会社の乗務員すなわち運転手の話によると、朝八時に会社に出て車をうけとり、翌朝の二時まで流す。ここで車を洗ってあがりということになっているのだが、家が遠いから仮眠所で一ねむりして、始発電車が動きだしてから帰る。その頃は、もう子供は学校へ行ってしまっているので、窓のカーテンをしめて床に入る。午後になって起き出して、新聞を読んだり、テレビをみたりして、夕食をとる。翌朝はまた八時出勤。こうして、この出番を三回くり返して、三回目に明け番と公休がつづくから一息いれることになる。

終業後に車を洗う時間が労働時間に算入されていないということも問題だが、それよりも、このような勤務形態の、いったい、どこが八時間労働制なのだろうか。これでも、二四時間交替勤務制にくらべればよくなった方だというが、一日八時間、深夜業、どれをとってみても、これを八時間労働制の原則で説明するのには、かなりに複雑な操作を要するようである。

＜例三＞　わかりやすく、国鉄の電車運転士のある一日の行程を例にとってみよう（阪田貞之・列車ダイヤの話一三二頁より）。

大船発七時〇五分（上り）――東京着七時五六分
東京発八時〇三分（下り）――横須賀着九時一九分三〇秒
横須賀発九時二四分三〇秒――大船着九時四分三〇秒
大船発一一時三〇分――品川着一二時〇七分三〇秒（降車）
品川発一二時二二分三〇秒――東京着一二時三〇分三〇秒
東京発一二時三五分三〇秒――横須賀着一三時四五分

横須賀発一四時〇二分――大船着一四時二五分三〇秒（勤務終了）

以上で乗務粁二四九・六キロ、拘束時間八時間三五分三〇秒である。この勤務割は毎日ちがっており、何日間かを一単位として勤務表ができている。これを仕業表という。仕業表は国鉄乗務員四九、〇〇〇人の一人一人についてつくられる。ここにかかげたのは近距離区間の一例であるが、これを長距離列車、新幹線などにあてはめて考えてみると、その操作の複雑さは大たい想像できよう。

右の表をみて気がつくことは、電車の到着から出発までの時間が長短さまざまであることである。これを「休憩時間」として取り扱うのか「手待ち時間」として取り扱うのかが一つの問題である。さらに、このように列車ダイヤに応じて仕業表を作成すると、一人の乗務員についても当然に毎日の労働時間がちがっているので、労働時間は一単位の勤務時間割すなわち一交番ひとまわりの通算または平均時間で計算されることになる。国鉄乗務員についていえば拘束時間は一週四八時間である。

さらに、拘束時間のうちでも実際に運転する実乗務時間（ハンドル時間）は疲労度が大きいので、ある限度でおさえなければならない。実乗務時間のおさえ方には、「労働時間一日拘束八時間、実働七時間（一週四二時間）、実乗務時間五時間三〇分」というようにきめることもある（私鉄総連)が、国鉄乗務員の場合には換算勤務時間という方式を用いている。すなわち、実際に運転した時間を1とし、その他の時間を$\frac{1}{2}$として計算して、その合計を「換算勤務時間」とよび、一交番あたりの一日平均換算勤務時間を五時間三〇分に制限するのである。そのために仕業表では、勤務時間を実乗務時間（実ハンドル、入出庫、折返）とその他の時間（便乗、準備、徒歩、待合、訓練）とに分類している。「私鉄総連方式」で実乗務時間をおさえるときにも、たとえば、五分以内の待合時間は実乗務時間とみなす、というような換算を行うこともある。

右の二、三の例からも明らかなように、八時間労働制は、現実には、すべての労働者が午前八時に出勤して午後四時四五分（休憩四五分をふくむ）に退社するというような単純明快な画一的な形式で実施されているものばかりではない。実をいうと、わが国の労働基準法そのものが、このような変則的な労働時間制（それだけではないが）を予想して他の立法例に類をみないような数多くの例外規定を設けている。「国際労働会議で最低基準として採択され、今日広く我が国に於ても理解されて居る八時間労働制、週休制、年次有給休暇制の如き基本的な制度を一応の基準」とした（昭和二二年「労働基準法案」提案理由説明）、といいながらＩＬＯ第一号条約が未だに批准されていないのも、労働基準法じたいが同条約に抵触するところを多くふくんでいるからである。

八時間労働制は、わが国においても制定され実施された。しかし、その実際の姿は、整然と足並をそろえて隊列を組んでいるのではなく、全身傷だらけとなって現実の泥沼の中に、もがき、のたうちまわっている。週四八時間労働制が四〇時間労働制へと進展しようとも、原則と現実との間の調和が実現されないかぎり、新しい労働時間制は、ふたたび現実の泥沼の中でずたずたに切り裂かれ、のたうちまわることになろう。その意味で、労働時間の現実の姿が関連諸法規との関係づけをともなって明らかにされないかぎり、八時間労働制の使命は終ったということはできない。

八時間という時間の単位

このような労働時間をめぐっての理念と現実との相剋、苦闘の実態の解明にあたって、八時間労働制は、さらに特殊な意義をもっている。それは、「八時間」という時間の長さである。労働時間を「八時間」と定めたということは、後にも述べるように、かなり単純な、ある意味では偶然的な要素がふくまれている。しかし、この一日二四時間の三分の一にあたる「八時間」という単位は、労働時間制を現実に調和させるにあたって、きわめて特殊な意味をもっている。たとえば、三交替制作業の場合には、それぞれの勤番がちょうど八時間となる。あるいは、休憩時間を定める場合にも(労基法三四条)、八時間という長さが考慮されている。このように、「八時間」という長さの特殊性が労働時間制を現実に適応させる際に果す特殊な役割を検討しておくことは、週四二時間なり四〇時間なりの新しい労働時間の運用を考えるにあたって、参考となることが多いであろう。

八時間労働制と現実との相剋

かくして、本書の目的は、八時間労働制と現実との間の相剋の実態を明らかにすることにむけられる。それは、単なる法規の解釈ではなく、また、単なる労働時間の実態調査でもない。法規の解釈とそれが現実に展開されていく過程とを有機的に結合させることである。しかも、その際に注意しなければならないことは、一方において現実の企業経営の必要性が、変形四八時間制、変形週休制などの形によって八時間労働制の基本構造をほりくずしているだけでなく、他方において労働関係の現実は、年次有給休暇を法定日数以上に増加させるとか、八時間をこえて残業させた場合には代休を与えるとかいう形で八時間労働制の理念の拡大を要求しはじめていることである。このような八時間労働制の理念の拡大は、短縮される新しい労働時間制の下においても、その要求を維持し続けるであろうことは疑なく、この点についても検討をおこたるわけにはいかない。

実をいうと、このような作業は個人の力のおよぶところではない。一方においては厳格な法規の解釈および比較法的な検討と、他方においては周密な労働時間制の実態調査が必要である。ただ本書においては、そのための手がかりを提供しようとする一つの試みが行われるにすぎない。

第一章　八時間労働制の内容と体系

I　労働時間制の内容

労働時間制と休息との関係

序章における僅かな引例からも明らかなように、八時間労働制、基本的には労働時間制そのものが、単に労働時間の長さの制限に関するだけの問題ではない。たとえば、労働時間制と休息との関係を例にとってみよう。

憲法第二七条第二項は、「賃金、就業時間、休息その他の勤労条件に関する基準は、法律でこれを定める」と規定している。ここにいう「休息」は、憲法制定時に衆議院において修正追加をうけたものであるが、とくに「休息」ということを追加したのは、休息ということが労働力の再生産の確保や労働技術の養成のために重要であることを考慮したものであり、その意味では、休息という概念の中に労働時間の制限ということがふくまれているとともに、作業日における休憩時間だけでなく、休日、年次有給休暇までもふくむものと解されている（法学協会編・註解日本国憲法五二二頁）。しかし、そのような字句の解釈や理念からだけではなく、現実の労働時間制の運営においても、休憩・休日などに関する規整が十分になされなければ、労働時間の制限そのものが十分に実効をあげることができないことは、前掲の引例からだけでも明らかである。詳細は後述するが、たとえば、一日の労働時間を八時間に制限するだけで、一単位の労働とつぎの単位の労働との間の休息について何ら規整されていなければ、ある日の午後三時一五分から午後一二時まで（休憩時間四五分をふくむ）労働させ、ひき続いて翌日の午前〇時から午前八時四五分まで（同上）労働させることも、一日八時間労働の制限に違反しない。すなわち、一日八時間労働の制限に違反しないで連続一六時間（休憩時間をふくめば一七時間三〇分）の労働をさせることができることになる。この点を労基法がどのように解決しようとしているかは、後に述べるように（一六七頁）、重要な問題である。

また、労基法第三四条第一項は、「労働時間が六時間を超える場合においては少くとも四十五分、八時間を超える場合においては少くとも一時間の休憩時間を労働時間の途中に与えなければならない」と定めている。この「労働時間の途中に」休憩時間を与えるということは、工場法が

「休憩時間ヲ就業時間中設クベシ」（七条）とだけ規定していて、労働時間の始めまたは終了時に与えても差支えないものと解される余地があったことに比較すると、それじたい一つの進歩ということはできる。しかし、休憩時間は全部を継続した時間として与えなければならないのか、分割して与えても差支えないのかについては規定がなく、また、労働時間の途中の如何なる時期に与えなければならないかについても規定がない。さらに、労働時間が八時間を超える場合は一時間の休憩時間を与えなければならないだけであって、八時間ごとに一時間の休憩時間を与えなければならないわけではない。労働時間が八時間をどれだけ超えても一時間の休憩時間を与えれば足りる。したがって、労基法第三四条の規定だけからは、始業五分後に、あるいは終業の一時間五分前から一時間の休憩時間を与えても差支えないし、一時間ごとに一〇分間ずつ合計一時間の休憩時間を与えることもできる。また、一五時間の労働に対しても一時間の休憩時間を与えれば足りることになる。もちろん、一日八時間を超えて労働させるためには、労基法第三六条による協定（三六協定）・届出を必要とするし、一昼夜交替の勤務者には夜間継続四時間以上の睡眠時間を与えなければならないものとされている（施行規則二六条）が、それだけでは、右に述べた問題は解決できない。

八時間労働制とは労働時間と休息との組合せの体系

このように見てくると、労働時間と休息との関係は、概念規定あるいは理念の問題ではなく、現実の問題として、休憩・休日は労働時間制をささえる支柱であり、休憩・休日に関する規整なくしては、労働時間制そのものが成立しない。いわば、八時間労働制とは、労働時間の長さの制限だけではなく、これと休憩・休日に関する規整とが有機的に結合した労働時間と休息との体系である。この関係は、労働時間に関する規整が、労働時間の長さの制限とならんで休日・休憩に関する規整として発達してきた歴史をたどることによって、より明確にすることができよう。

II 八時間労働制の歴史

一 労働時間

労働時間の歴史は資本主義とともにはじまる

労働時間問題は資本主義的生産方式の発生とともにはじまったといわれる。封建制社会においては、都市の手工業者は自分で自分の労働を管理する。統制力をもっているのは、手工業者自身が加入している同業組合（ギルド）であった。親方の下には職人や徒弟がいたが、彼らもやがては修業時代を終って親方の仲間入りをする。親方は、利潤を追求する目的をもってではなく、自分の生活を維持するために生産をする。その労働時間は、健康を維持し体面を保持するに必要な生活を営む時間に制約される。過度の長時間労働は仕事の質を低下させるものとして排斥され、夜業は火災の危険のために禁止された。労働時間は一日八時間ぐらいがふつうだったといわれている。しかし、資本主義的生産方式は、労働者を生産手段から分離するとともに、労働を商品化して、労務の提供とその対償である賃金との間の等価交換方式を確立した(民法六二三条)。賃金は、労働一般あるいは労働の成果とではなく、労働時間と密接にむすびつけられ、労働時間が賃金とならんで労働条件の二大支柱として登場し、社会の関心をあつめはじめた。しかし、資本主義の初期には、生産技術は機械よりも人間労働の熟練度に依存するところが大きく、商品の販売市場もかぎられ、労働者の賃金が比較的高かったということもあって、労働時間も一〇時間ないし一二時間ていどであった。たとえば、イギリスにおいて、ヘンリー七世の一四九五年条例、エリザベス徒弟条例(一五六三年)などは、一日の労働時間を拘束一四時間ないし一五時間、労働一二時間ないし一三時間と定めていたが、実際には一二時間以上働く者はあまりいなかったといわれている。労働時間の問題が重大かつ深刻になってきたのは、産業革命以後のことであり、一〇時間労働制の問題が、いわゆる労働時間問題の出発点となった。

産業革命を契機として労働市場が拡大し、機械生産の発展は労働者を、熟練労働の担い手としての独立生産者から機械の附属物へとおいやった。熟練を必要としない作業の増大は、労働の価値を、その熟練度によってではなく、労働時間の長さによって評価させることになる。作業工程が単純化され、労働の質が均一化されたときには、労働の成果は、労働時間の長さに比例するからである。

他方において、資本主義の確立期から発展期へかけての、資本主義的蓄積および利潤拡大への要求は、公式どおりの搾取形態である労働時間延長の方向をとり、一日一三時間から一六時間にも及ぶ労働、あるいは三〇時間ないし四〇時間もの連続労働さえみられるようになった。たとえばエンゲルスの『イギリスにおける労働者階級の状態』は、羊毛工場では食事時間を除いて一三時間あるいは一二時間半という労働時間がふつうであり、農村地帯では朝五時から夜の九時までの労働で、その間にわずか三〇分の食事時間がふくまれていたにすぎないという。さらにわるいことには、労働に熟練度を要しなくなるにつれ、賃金の低下が労働者の家計を窮乏においこみ、家計補助者としての婦人・年少労働者が発生したことである。この婦人・年少労働者の発生は、一面において熟練を要しない作業の増大によって可能となったのではあるが、他面においては労働者の生活の窮乏化の産物でもあった。しかも、労働者の生活の窮乏化の産物であったこの婦人・年少労働者は、低劣な労働条件、長時間労働を従順に甘受することによって、さらに男子労働者の低賃金、長労働時間を促進し、生活の窮乏化を推進する。綿業で雇用されていた児童は、多くの工場でその労働時間は深夜業をふくみ週七四時間、一日一二時間を超えていたし、年齢は一五歳以下、中には七歳のものもいたという。ロバート・オーエンも、『自叙伝』において、一八一五年頃の状態を、「この当時小児は六歳で綿糸・羊毛・亜麻・絹紡績工場に入るのを許されたが、時時は五歳で入るものすらあった。労働時間は夏でも冬でも、法律によって制限はされず、普通一日に一四時間であった。――所によっては一五時間、更に最も残忍強欲なものは一六時間のさえあった。――しかも大抵の場合、工場は人為的に熱せられて、健康に最もわるい状態を呈していた」と記している。当時、ロバート・オーエンの提唱した工場法の制定に反対した人人は、「こんな幼い子供達を一日に一四、五時間も暑い密閉した部屋の中で使って、殊に綿糸および亜麻の紡績工場では、こまかい飛散する使用材料の繊維に往往みちみたされた部屋の中でも、有害ではないという証明」をしようとした。しかし、現実には、少年はあまりに早く苛酷な長時間労働に従事したために身体ならびに知能の発育が著しく阻害されて、虚弱で文字を読むこともできず、たいていの労働者は四〇歳で労働不能におちいり、五〇歳をこえるものはほとんどいなかった。

一〇時間労働運動の進展と成果　このような労働時間の延長は、当然、これに対する制限ないし反対の運動をひきおこした。当時イギリスの労働組合運動は、団結禁止法（一七九九年）によって禁止され、コモン・ローの共謀罪の法理によって抑圧されていたが、一八二四年の団結禁止法撤廃法によってようやく形式的な合法性を獲得し、他方において、ロバート・オーエンらの努力によって工場立法も徐徐に発展しはじめていた。イギリス最初の工場法である「徒弟の健康ならびに道徳法」（一八〇二年）は、教区徒弟について一日最高一二時間の労働時間を定めたにすぎなかったが、一八三三年工場法は、その適用が繊維産業のみにかぎられていたとはいえ、九歳以下の児童の雇用を禁止し、婦人について一日一二時間・週六九時間労働、幼年者（一三歳未満）について一日八時間労働を定め、年少者（一三歳ないし一八歳）の深夜業を禁止し、工場監督制度を規定した。雇主はその仕事の管理については立法によって干渉されるべきではないという工場法制定反対論者の主張の一角はくずされた。ことに、制定当初において、政府の任命する工場監督官は工場経営者の味方にすぎないと予想され批判された工場監督制度は、地方的偏見や身びいきにとらわれがちな地方の治安判事の片手間仕事から中央集権化された専任監督官の手へ監督業務をうつすことによって、工場立法に新紀元を劃したといわれている。

しかし、労働者は、すでに早くから一日一〇時間労働制を要求していた。その目からみれば、一八三三年法は一〇時間労働運動の失敗であった。一八三二年の選挙法改正、一八三四年の新救貧法の制定と相まって政治的敗北を自覚したイギリス労働者は、成年男子普通選挙権を中心とした六ヵ条の「憲章」をかかげてチャーティズムの運動を展開した。この運動の波の中で一〇時間労働運動もいくつかの波のうねりをみせ、一八四四年工場法の制定をみた。この段階では、一〇時間労働は完全にその目標を達したわけではないが、一八歳以上の婦人の労働時間を一二時間に制限したほか、一八三三年法の欠陥といわれた児童や未成年者の交替制(リレー制度)を不可能にする条項が追加されたことが注目される。すなわち、一八三三年法は児童の労働時間をただ八時間とだけ規定して始業と終業の時刻を限定しなかったので、児童を二組にわけて交替制とし、成年男子労働者はその両勤番を連続して労働するという形がとられていたのであるが、一八四四年法が児童のリレー制度を不可能としたため、当時たいていの場合に児童、未成年者、婦人の協力を必要としていた成年男子労働者についても、おのずから標準労働時間が一二時間となることになったからである。しかし、一〇時間労働制は、チャーティズム運動が頂点に達したときに、保守党の対立に幸されて成立した一八四七年法によって、はじめて実現された。同法は、一八四七年七月から、未成年者とすべての婦人の労働日を暫定的に一一時間に制限し、一八四八年五月から一〇時間にすることとした。しかし、一八三三年法の場合と同じように、成年男子についての労働時間が定められていないのを利用して、未成年者・婦人と児童という二組のリレーによって成年労働者の労働時間を延長する手段がとられた。したがって、一〇時間労働制が成年男子労働者にとっても完全に標準労働時間となったのは、リレー制度が完全に廃止された一八五〇年法および一八五三年法によってであった。

このようにしてイギリスにおいて実現された一〇時間労働制は、当然にイギリスの労働者の健康状態、生活状態を改善したが、その影響はそれだけではなかった。一〇時間労働制は、法そのものははじめ綿・毛・絹・麻の繊維工業に適用されただけであったが、他の産業においても一八六〇年代頃までには、ほぼ類似の規整が行われるようになったばかりでなく、フランスにも影響を与え、一八五〇年には、はじめてフランスで一二時間法が成立した。さらに、一八六六年にジュネーヴでひらかれた第一インターの大会では、八時間労働要求の決議さえ行われた。こうして、労働時間の問題は国際的な規模へと発展し、一九〇〇年代に入ってからは、主要諸国にほとんど一〇時間労働制が普及した。

八時間労働運動は一〇時間労働制をのりこえた

一〇時間労働制がまだ十分にその基礎を確立しない一八六六年に第一インターが八時間労働制を決議したように、そして、現在われわれが当面している時間短縮問題が八時間労働制の完成と相前後してはじまっているように、労働時間の問題は、一つの波のうねりがおさまらないうちに、そのうねりをこえて、さらに大きな波がうねりをみせる。八時間労働運動の波も、一〇時間労働制がようやくイギリスにおいて完成をみようとしているときに、早くもそのうねりを高めつつあった。一八五六年にはオーストラリヤのメルボルンにおいて建築労働組合が労働協約によって八時間労働制を確立した。イギリスでも同じく建築労働者がロンドンで一八五三年に九時間労働制運動をはじめ、一八六六年の第一インターの決議の翌年にはランカシャーの工場労働者が八時間労働制の運動を開始し、一八七三年にはニュージーランドにおいて婦人・年少労働者の労働を最高一日八時間とする立法が実現された。

メーデーと八時間労働運動

八時間労働制の歴史の中で最もはなばなしかったのは、一〇時間労働制の発展が最もおそかったアメリカである。アメリカでは一八六〇年代から八時間労働制の運動がたかまり、連邦公務員には八時間労働制が確立され、一八七二年にニューヨークの建築労働組合が八時間労働を獲得した後、一八八六年五月一日には、八時間労働を要求して二〇万人の労働者のゼネストが行われた。このゼネストによって約二〇万人の労働者が八時間労働を獲得したといわれるが、その後再び使用者によって奪いかえされたものが多く、その成果は決して十分であったとはいえない。しかし、一八八九年第二インターがこのゼネストを記念して、毎年五月一日を八時間労働制獲得のための示威運動を行う日と定めることによって、八時間労働運働はメーデーとともに全世界にひろがって行った。

ソヴェト革命とＩＬＯと八時間労働

しかし、アメリカにおける八時間労働要求運動がメーデーとともにその運動の世界的な展開を推進したとすれば、実質的に八時間労働制の基礎を築いたのは一九一七年のソヴェト革命であり、その基礎を確立したのは国際労働機関（ＩＬＯ）の成立であった。すなわち、一九一七年の革命によって成立したソヴェト政権が八時間労働制を制定したことは、各国において八時間労働制を採用する契機となり、一九一八年から一九一九年にかけて、ドイツ、フランス、オーストリヤ、スエーデン、ノールウェー、チェコスロヴァキヤ、フィンランド、ユーゴスラヴィヤなどがつぎつぎと八時間労働制を採用した。ただ、イギリスおよびアメリカは、一般的な労働時間立法を要求せず、労使間の自主的な交渉によって労働時間制を確立する建前をとっているので、イギリスの炭坑労働、アメリカの鉄道労働などの若干の例外のほかは、一般的な労働時間立法を制定しなかった。

一九一九年ＩＬＯ第一回総会は「工業的企業における労働時間を一日八時間、一週四八時間に制限する条約」（一号）を採択し、一九三〇年第一四回総会は、「商業および事務所における労働時間の規律に関する条約」（三〇号）を採択し、ここに八時間労働制は、労働時間についての国際的基準としての地位を確立した。

四八時間労働から四〇時間労働へ

八時間労働制への動きが一〇時間労働の実現と相前後してはじまったのと同様に、ＩＬＯ第三〇号条約が八時間労働制の体系を完成した直後に、ＩＬＯは一九三五年第一九回総会において「労働時間を一週四〇時間に短縮することに関する条約」(四七号)を採択し、四〇時間労働への具体的な歩みをはじめた。もっとも、この条約は、「生活標準の低下を来さないように適用されるべき一週四〇時間制の原則」を宣言しただけであって、具体的な内容をもつものではない。しかし、後に述べるように、第一次大戦後の資本主義の行きづまりの影響もあって、すでに各国とも時間短縮の具体的な日程を開始しており、また、ＩＬＯ自身も、すでに「自動式板硝子工場における労働時間の規律に関する条約」(一九三四年、四三号)を採択していた。さらに、第四七号条約と同時に「硝子壜工場における労働時間の短縮に関する条約」(四九号)が成立して、第四三号条約とともに一週平均四二時間労働を宣言し、つづいて一九三六年第二〇回総会では「公共事業における労働時間の短縮に関する条約」(五一号)、一九三七年第二三回総会では「繊維工業における労働時間の短縮に関する条約」(六一号)が、ともに四〇時間労働の原則を明らかにした。なお、坑内労働については、一九三一年第一五回総会において「炭坑における労働時間を制限する条約」(三一号)が成立し、一九三五年第一九回総会において改正されて(四六号)、在坑時間一日七時間四五分の、坑口労働時間制を定めている。

第二次大戦後の時間短縮問題

このような第一次大戦後の四〇時間労働への歩みは、第二次大戦の開始によって中断され、戦時中は各国とも、程度の差こそあれ、それぞれに労働時間を延長した。しかし、戦後には、ふたたび労働時間短縮の問題が新しい角度からとりあげられることになり、ことに、一九五五―六年頃からヨーロッパ諸国を中心として、実質賃金の回復要求、技術革新を動因とする企業合理化の進展などにうながされて、時間短縮運動は急速な進展をみせた。一九六二年ILO第四六回総会は「労働時間の短縮に関する勧告」を採択して、週四〇時間労働の原則を明らかにした。これによって時間短縮問題は新しい段階をむかえることになったのであるが、現段階における時間短縮問題の意義は、節をあらためて検討することにしよう。

二　休憩時間

休憩時間の規整は女子・年少者からはじまった

労働時間の問題が、単なる労働時間の長さの問題につきるものではなく、休日・休憩の問題と密接にからみ合った有機的な体系であることは、すでに再三にわたって指摘したところである。したがって、休憩時間の問題は、労働時間短縮問題と表裏をなすものとしてはじまり、また、労働時間短縮問題と同様に、女子・年少者に関する規整からはじまっている。現在でもイギリス、フランスにおいては、休憩時間は女子および年少者についてのみ規定され、その規定の仕方は、休憩時間の配置によって継続労働時間が制限されるようになっている。たとえば、イギリスにおいては、女子および年少者につき、四時間三〇分を超える労働については少くとも三〇分の食事または休憩時間を与えなければならず、四時間三〇分の時間中一〇分以上の休憩を与えたときは四時間三〇分を五時間まで延長できる（一九三七年工場法七〇条c）。フランスでは、一〇時間以内に一時間以上の休憩を与えなければならない（労働法典第二巻第一編第二章一四条）。また、西ドイツでも、「日日の労働時間の終了後少くとも一時間の連続休息時間を与えなければならない」と規定して（一九三八年労働時間令一二条一項）、二暦日以上にまたがる長時間継続労働を禁止するとともに、男子労働者については六時間以上の労働につき少くとも三〇分の休憩時間を（または一五分の休憩時間を二回）与えなければならないこととしている（同一二条二項）のに対して、女子については、四時間半を超え六時間以内の労働につき少くとも二〇分、六時間を超え八時間以内の場合には少くとも三〇分、八時間を超え九時間以内の場合は少くとも四五分、九時間を超える場合は少くとも一時間の休憩を労働時間の途中に与えなければならないものとし、さらに、休憩時間は少くとも一五分間以上の労働中止にかぎるものとして、休憩時間を不当に細かく分割して与えることを制限している（同一八条）。

変形労働時間制は労働時間と休憩時間の組合せである

休憩時間と労働時間との関係が問題となるもう一つの場合は、いわゆる変形労働時間制の場合である。業務の都合により長時間継続操業と短時間操業とを組み合せることによって業務の運営そのものには支障を来さないことになっても、このような場合には、労働時間と休憩時間とを量的に組み合しただけでは問題は解決しない。変形労働時間制がもっとも極端な形で適用される路面運送事業については、ＩＬＯ第六七号「路面運送における労働時間および休息時間の規律に関する条約」(一九三九年)が、継続的操業時間を五時間に制限し(一四条一項)、二四時間中に少くとも継続一二時間をふくむ休息時間(一五条一項)、各七日間において継続三〇時間をふくむ休息時間(一六条一項)を保障している。

三　休日

週休制は安息日に起源をおく

休日の問題も労働時間とともに、各国の労働立法において、きわめて古い沿革をもっている。ことに、いわゆる安息日とむすびついて、休日の制度は、週休制として具体化するにいたった。すなわち、一切の業を休むという意味での安息日は、キリスト教における日曜日、ユダヤ教における土曜日、イスラーム教における金曜日などが有名であるが、そのうちでキリスト教国における安息日の慣習が労働時間制とむすびついて週休制となったものである。

休日には三つの意味がある　休日の問題を労働時間制との関係でみると、第一の問題は、休日を一般社会通念の意味における休日と一致させ、または調和させることである。たとえば、わが国に例をとれば、休日には大よそ三つの意味がある。第一にそれは、国が職務・業務の執行を休む日をいう。国民の祝日に関する法律（昭和二三年法一七八号）第三条において、「『国民の祝日』は、休日とする」と定めているのはこの意味である。第二にそれは、特定の社会において一般的に業務を休む日をいう。各種の法律で「一般の休日」とよばれているもの（民訴法一五三条・一五六条二項・一七四条、刑訴法五五条三項、手形法七二条・八七条、小切手法六〇条・七五条、銀行法一八条など）であって、この日には一定の行為は行うことができず、期間の満了日は翌日にのびる。取引をしない慣習ある休日（民法一四二条）というのがこれであり、日曜・祝祭日のほか、盆・彼岸などがふくまれることが多い。第三の意味における休日は、特定の企業において、使用者が労働者の休む日を定めるものである。これが労働法上の休日であり、第一および第二の意味における休日と一致する必要はなく、企業ごとにそれぞれに異る日を定めることができるばかりでなく、同一企業内においても労働者ごとに異って休日を定めることもできる。かつて、理髪業が一〇日、二〇日、三〇日のいわゆる「十の日」を休日にしたり、デパートが「八の日」を休日にしたりしたのは、その著しい例であるが、週休制を採用している現在においても、デパートは月曜日とか木曜日とかを休日と定めているのが通例であるし、二交替・三交替連続操業の工場などでは、労働者ごとに休日が定められている。

休日の特定も労働時間制の問題

しかし、第一の意味にせよ、第二の意味にせよ、「世間」が休むときには休むのが人並の生活であるという考え方、あるいは、「世間」が休んでいるときに労働させられることに対する苦痛は、休日の回数とならんでの休日制の重要問題である。

ヴェルサイユ条約第四二七条は、労働憲章の第五原則として、「日曜日をなるべく包含し、二四時間を下らない毎週一回の休息を与える制度」を採用すべきことを規定し、前出「炭坑における労働時間を制限する条約」第六条は、「労働者は、日曜日および法定の公の休日において炭坑内の地下作業に使用せられざるべきものとす」と定めているが、イギリスにおいても女子・年少者は原則として日曜日に使用することを禁止し（一九三七年工場法七七条）、フランスも日曜休日の原則を定め（労働法典第二巻第一編第四章三三条）、西ドイツでは、とくにみとめる労働以外については、日曜および祭日に労働させることを禁止している（一八六九年営業法一〇五条a—b。一九五三年改正）。しかし、週休を日曜日に特定することは、業種によっては相当に困難であることは否定できず、ILO第一四号「工業的企業における週休の適用に関する条約」（一九二一年）、第一八号「商業における週休の適用に関する勧告」(一九二一年)、第一〇六号「商業および事務所における週休に関する条約」(一九五七年)は、いずれも、休日は当該の国または地方の因習または慣習によってすでに定まっている日とできるかぎり一致するように定めなければならない、と規定するにとどめている。

休日の間隔も問題

週休日の特定とも関連して、休日制のもう一つの問題は、休日の間隔である。週休日が週のうちの特定の日と規定されていれば、休日はつねに七日ごとに来るのであるが、特定されていなければ、ある週の始めに休日を与え、つぎの週の終りに休日を与えることによって、その間の一二日間に連続して労働させることができることになる。ＩＬＯ条約・勧告は、週休日を特定しない場合についても、「七日の期間ごとに一回」の休日を定めることとしてはいる(一四号条約、一〇六号条約、一八号勧告)が、休日の間隔については、明確な基準を示していない。

休日は分割できるか

つぎに問題となるのは、休日の分割の問題である。七日ごとに一日の休日を二回ないし三回に分割して与えたのでは、休息の意味が失われることはいうまでもない。この点については、ＩＬＯ第一四号条約、第一〇六号条約、第一八号勧告などは、いずれも、「少くとも継続二四時間の休暇」、「二四時間以上の中断されない週休」、「少くとも継続二四時間をふくむ休暇」などの表現を用いている。ことに、前述したように休憩・休日について最も変則的な形態が予想される運送事業については、前出「路面運送における労働時間および休息時間の規律に関する条約」が、「継続三〇時間をふくむ休憩時間（そのうち二二時間を下らない時間は同一暦日に来るものとする）を各七日間において」与えるべきことを規定している（二六条一項）ことが注目される。

四　時間外労働

時間外労働と女子・年少者

労働時間を制限し、休日を制定した場合に問題となるのは、時間外労働、すなわち、残業、早出、休日労働の問題である。時間外労働の問題は、規整の形式の面と、内容の面とから、いろいろに分類することができる。まず問題となるのは女子・年少者の時間外労働の問題であるが、労働時間の制限が女子・年少労働者を主たる対象としてはじまった沿革からみても明らかなように、現在においても、女子・年少者については、多かれ少かれ時間外労働について制限がおかれているのが、通例である。ことに、いわゆる深夜業については、それが成年男子労働者にとっても有害ではあるが、とくに女子・年少者にとって衛生上および風紀上有害であることは早くから指摘されていたところであり、ＩＬＯ成立以前の国際労働立法協会の

第一回ベルン会議（一九〇五年）において早くも女子の夜業禁止が、つづいて第二回ベルン会議（一九一三年）において年少者の夜業禁止の問題がとりあげられており、ＩＬＯ成立後は、その第一回総会（一九一九年）において、いち早く「夜間における婦人使用に関する条約」（四号。のち一九三四年に四一号条約、一九四八年に八九号条約として改正）、「工業において使用される年少者の夜業に関する条約」（六号。のち一九四八年に九〇号条約として改正）が採択されたことにも、その重要性の度合をうかがうことができる。前者は、女子につき「権限ある機関が定める夜一〇時より朝七時に至るまでの間における少くとも七時間の継続する時間をふくむ一一時間の継続する時間」の労働を制限し、後者は、「一六歳未満の年少者については、夜一〇時から朝の六時までの時間をふくむ継続一二時間、一六歳以上一八歳未満の年少者については、権限ある機関の定める夜一〇時より朝七時にいたるまでの間における少くとも七時間の継続時間をふくむ継続一二時間」の労働を制限している。また、第七九号「非工業的業務における年少者の夜業の制限に関する条約」（一九四六年）では、「全時的または一部的雇用を認められる一四歳未満の児童および全時的就学義務がある一四歳以上の児童については、夜八時から朝八時にいたる時間をふくむ少くとも一四時間、全時的就学義務がない一四歳以上の児童および一八歳未満の年少者については、夜一〇時から朝六時にいたる時間をふくむ少くとも一二時間の継続時間」の労働を制限している。

イギリスにおいて、当初、成年男子労働者の作業が女子または未成年者の補助を必要とし、女子・未成年者に対する労働時間の制限が結果的に成年男子労働者の労働時間の制限となったこと、これを免れるためにリレー制がとられ、さらにリレー制そのものが禁止されるに至ったことは、さきにみたとおりである。現在では、女子・年少者の労働は原則として独立しているから、このような現象は通常は生じない。しかし、労基法では交替制作業の場合であっても女子・年少者の深夜業はみとめられない（例外については後述一四七頁）のであるから、業種・職種によっては作業編成に影響を生じることになる。

各国の立法例についてみても、イギリスでは、女子および一六歳以上の年少者については午後八時から午前七時まで、一六歳未満の年少者については午後六時から午前七時まで、また土曜日は午後一時以降（一九三七年工場法七〇条b）、フランスでは、女子および一八歳未満の者につき午後一〇時から午前五時まで（労働法典第二巻二一条・二二条）、西ドイツでは、女子は午後八時から午前六時まで、および日曜・祭日の前日の午後五時以降（労働時間令一九条）、一八歳未満の年少者は午後八時から午前六時まで（年少者保護法一六条）の労働が禁止されている。

硬式労働時間制と軟式労働時間制

時間外労働のつぎの問題は、基準時間外に労働させることを認めるべきか、認めるとすれば、どのような理由によって認めるか、また、その限度はどこまでか、ということである。労働時間の延長や休日労働すなわち時間外労働について、天災、不可抗力その他の法律に定める特定の事由があるときに限って認めるものを硬式労働時間制といい、事由の如何を問わず割増賃金の支払のみを条件として認めるものを軟式労働時間制ということがある。軟式労働時間制では、割増賃金の支払によって、事由の如何を問わず、また何らの制限なしに労働時間が延長されることになるので、労働時間の制限は、その実質的意義を失い、単なる割増賃金算定の基礎たるにとどまることになりかねない。アメリカの公正労働基準法（一九三八年）は、この方式をとり、一週四〇時間制を原則としながら、「通常の賃金の一・五倍を下らぬ率による報酬を支払う」場合は、右時間を超えて労働させることができるものとしている（七条A）。

ILO条約は硬式労働時間制　軟式労働時間制は労働時間を制限する意義を失わせるので、当然のことながら、ILO条約は、いずれも時間外労働に対して厳重な制限を加えている。たとえば、第一号条約は、八時間労働の原則についての例外をつぎのように定めている。

第二条　同一の家に属する者のみを使用する企業を除くのほか、一切の公私の工業的企業またはその各分科において使用される者の労働時間は、一日八時間かつ一週四八時間を超えることができない。ただし、左に掲げる場合は、この限りではない。

(a)　本条約の規定は、監督もしくは管理の地位にある者または機密の事務を処理する者には適用しない。

(b) 法令、慣習、または、使用者の団体、もしくは、このような団体がない場合には使用者の、および労働者の代表者間の協定によって、一週のうちの一日または数日における労働時間を八時間未満としたときは、権限ある機関の認許または前記団体もしくは代表者の間の協定によって、その週のうちの他の日に八時間の制限を超えることができる。ただし、本号に規定する如何なる場合においても、一日八時間の制限を超えることが一時間より多くてはならない。

(c) 被用者を交替制によって使用する場合には、三週間以下の一期間内における労働時間の平均が一日八時間かつ一週四八時間を超えないかぎり、ある日に八時間、またある週に四八時間を超えて使用することができる。

第三条 第二条に定める労働時間の制限は、現に災害があり、もしくは、その虞がある場合、機械もしくは工場設備につき、緊急の処置をとらなければならない場合、または不可抗力の場合は、これを超えることができる。ただし、当該企業の通常の操業に対する重大な障害を除去するために必要な限度を超えてはならない。

すなわち、これによれば、第二条(a)は、わが国の労基法第四一条第二号にあたり、(b)(c)は同第三二条第二項の、いわゆる変形労働時間制にあたるが、変形労働時間制の場合にも、一日八時間を基準とする増減を一時間の限度に制限しているものである。第三条は時間外労働に関する規定であるが、その事由は、わが国の労基法第三三条第一項に相当するものであり、これ以外の事由による時間外労働はみとめられず、かつ、時間外労働については普通賃金率の一・二五倍の報酬を支払わなければならない(六条二項)。

このような硬式労働時間制の原則は、労働時間に関するILO条約のすべてを貫いている。もっとも、業種によっては、時間外労働がみとめられる場合の事由に広狭はある。たとえば、第三〇号「商業および事務所における労働時間の規律に関する条約」第七条は、八時間労働の原則(三条)に対する恒久的例外として、(a)監視・断続作業(労基法四一条三号に相当する)、(b)準備または補充労務であって必然的に他の労働者の労働時間を超えるもの、(c)労務の性質、人口の大きさ、使用される者の数が八時間労働の原則の適用を不可能とするもの、を掲げ、一時的例外としては、(a)災害または不可抗力(労基法三三条に相当する)のほか、(b)「損敗しやすい物品の損失を防止し、または労務の技術上の結果を危殆ならしめることを避けるため」、(c)「棚卸、貸借対照表の作成、支払日、清算および勘定締切のような特殊の労務」、(d)「特別の事情に基因する異常な業務繁忙の場合、ただし使用者が他の方法によることを通常予期できない場合にかぎる」、と定めて、時間外労働をみとめる事由を、かなりゆるやかにしている。しかし、いずれにせよ、事由の如何をとわず無制限にみとめているものではない。

立法例としても、硬式労働時間制をとるものは多く、ソ連労働法（一九四一年）が、非常災害その他法律の定める特定の事由がある場合についてだけ時間外労働をみとめ（一〇四条）、代休はみとめるが休日を与えないことは許されないものとしている（一一〇条）のをはじめ、西ドイツでも、法律の定めるところにより一定時間をかぎって労働時間の延長をみとめ（一九三八年労働時間令六条・七条）、行政官庁の許可がある場合にのみ時間外労働をみとめ（八条）、また休日については、とくに法律に定める場合のほかは労働させることができないものとしている（一八六九年営業法一〇五条c）。

五　交替制

交替制は労働時間制の最大の難問

労働時間制についての最後の、そして最も困難な問題は、交替制である。すでに見たように、ＩＬＯ第一号条約も八時間労働の原則をうたいながら交替制労働については、八時間労働が原則どおりには適用しがたいことを予想して例外をみとめている。しかし、業種あるいは労働の態容によっては、交替制を採用しなければ経営そのものが成り立たず、しかも、その交替制がきわめて不規則な内容であるために、経営の都合のみを基準として交替制を定めたのでは、労働時間制の意義そのものが全く失われることになる場合も考えられる。この両者をどのように調整するかということが、労働時間制の最大の難問である。

不規則な交替制労働と変形労働時間制

不規則な交替制労働を処理するための一つの方法は、いわゆる変形労働時間制である。すなわち、すべての労働者に共通の労働時間を定めるのでなく、個個の労働者について、日により、あるいは週によって異った労働時間を定め、労働時間の制限は週または数週間を通じての最長労働時間を定めることによって行いながら、労働者ごとに異る労働時間を組み合せて交替制を運用しようとするものである。このような交替制をとる場合に、まず問題となるのは、日により週によって異った労働時間を定めることによって、一定期間における労働時間の総計は制限時間内にとどめられるにしても、不規則な労働時間によって労働者が苦痛を感じることであり、つぎの問題は、特定の日または特定の週における労働時間が過度に長く定められることによって弊害を生じることである。もっとも、このような弊害は、交替制の場合にかぎらず、変形労働時間制をとる場合には、つねに生じるのであり、ＩＬＯ第三〇号「商業および事務所における労働時間の規律に関する条約」も、「地方祭日または災害もしくは不可抗力による労働中絶」によって失われた労働時間を補塡するために他の日の労働時間を延長することをみとめつつ、その限度として、(a)失われた労働時間は一年につき三〇日をこえて補塡されてはならず、また適当な期間内に補塡すべきこと、(b)一日の労働時間の延長は一時間をこえてはならない、(c)一日の労働時間は一〇時間をこえてはならない（五条一項）、と定めている。

交替制労働と単位労働の間隔

交替制労働の場合にも、右のような変形の限度は当然に問題となるが、さらに、一労働時間からつぎの労働時間への間隔が問題となる。前示のような臨時の労働時間の変形であれば、変形の限度が制限されることによって一応の弊害防止は可能であろうが、交替制の場合には、そのような変形労働時間が恒常的に繰り返されることによって、労働時間の最大限をこえない範囲で極端な長時間継続労働が行われかねないからである。たとえば、休日の項でも指摘したが、ある週の始めに休日を与え、つぎの週の終りに休日を与えれば、週休制を守りながら一二日間労働日が連続することになり、また、前の週の最後の労働日に三勤として（通常午後一〇時から午前六時まで）労働させ、つぎの日の一勤に労働させると、連続一六時間の労働となる。ＩＬＯ条約も、交替制の必要はみとめながら、その弊害の防止には配慮してきている。たとえば、自動式板硝子工場は、その作業の性質上、少くとも四交替班を設けなければならないものとされている（一九三四年、四三号「自動式板硝子工場における労働時間の規律に関する条約」二条一項）のであるが、同時に、その労働時間は四週間以内を通じて一週平均四二時間、一交替番は八時間に制限されている（同条二項・三項・四項）ほか、同一の交替班によるこの交替番の間隔は、定期的転換の場合以外は一六時間を下ってはならないものとされている（同条五項）。ただし、緊急災害・緊急作業の場合、交替班の一人または二人以上の予見されない欠席を補うときであって、企業の通常の操業に対する重大な障害を除去するに必要な限度では、例外がみとめられている(三条)。

運送業は不規則な交替制労働の典型　しかし、不規則な交替制労働の典型的なものは運送業である。ＩＬＯ条約も路面運送事業については特別の考慮を払い、一九三六年には、第六七号「路面運送における労働時間および休息時間の規律に関する条約」を採択している。後に述べるところと関係があるので、つぎに、その要旨を紹介することにする。

(1)　労働時間には、つぎのものがふくまれる。(四条)

(a)　車輛の走行時間中に行われる労働において費される時間。

(b)　補助的労働時間。すなわち、客またはその貨物に関連する労働であって車輛の走行時間外に行われるもので、つぎのものをふくむ。会計勘定、現金の納入、帳簿の署名、労働カードの引渡し、切符の引合せに関連する労働その他類似の労働、車輛の引継ぎおよび車庫入れ、労働者が出勤簿に署名した場所から車輛を引き受ける場所までおよび労働者が車輛からはなれる場所から仕事の終りに出勤簿に署名する場所までの通行、車輛の保全および修繕に関連する労働、車輛の荷揚げおよび荷卸し。

(c)　単なる待時間。すなわち、労働者が呼出しに応じるためまたは時間表に定められる時刻に再び活動をはじめるためもっぱらその定位置にとどまっている時間。

(d)　休憩および労働中断時間。

(2)　一日の労働時間は八時間をこえてはならない。一週間を単位とする変形八時間労働をとることはできるが、一日について八時間をこえることは一時間より多くてはいけない。ただし、一週の労働時間が四八時間をこえないか、もしくは次項の変形四八時間制によって平均四八時間をこえないもの、および通常多量の補助的労働をするかまたは単なる待時間によってしばしば労働が中断されるものについては、例外を設けることができる。(七条)

(3) 一週間の労働時間は四八時間をこえてはならない。ただし、通常多量の補助的労働をし、または、しばしば単なる待時間により労働が中断されるものについては、例外を設けることができる。(五条)

一週の労働時間は平均時間として(変形労働時間制)定めることができるが、平均として計算できる週の数および一週において労働することができる最長時間を定めなければならない。(六条)

(4) 労働日の始めと終りとの間にくる最長時間数を定めなければならない。(八条)

(5) いかなる操縦者も五時間をこえる継続的時間操縦をすることができない。権限ある機関によって定められる時間により分離されないかぎり、二つの操縦時間は継続的時間とみなされる。ただし、時間表に定められる中断時間により、または労務の中断的性質により十分な間隔が確保される操縦者を除外することができる。(一四条)

(6) 二割五分以上の超過時間報酬を支払うことによって超過労働をさせることができるが、一週労働時間が一週をこえる期間にわたる平均として計算されるときには一年につき七五時間、一週労働時間限度が各週に適用すべき厳格な限度として適用される場合には一年につき一〇〇時間をこえてはならない。ただし、一年の超過時間について所定超過時間数を設けることが望ましくない国においては、それをこえ

ることができる。（一三条）

(7) 二四時間中に少くとも継続一二時間をふくむ休息時間を与えなければならない。ただし、相当の時間の休憩を条件としてある種の労務につき休息時間を短縮し、あるいは、一週にわたって計算される平均休息時間が前述の最小限度を下らないことを条件として一週における所定日数において休息時間を短縮することができる。（一五条）

(8) 少くとも継続三〇時間をふくむ休息時間（そのうち二二時間を下らない時間は同一暦日にくるものとする）を各七日間において与えなければならない。／前項の要件をみたす休息時間数は各七日間におけるーの休息時間の代りに所定の最長限度をこえない数週中に与えることができる。ただし、休息時間の数は少くとも週の数に等しく、かつ二つの休息時間の間隔は一〇日をこえてはならない。（一六条）

以上をみただけでも、例外の許容と制限との複雑なからみ合いは明らかである。

III 労働時間短縮の問題

一 第一次大戦後の時間短縮問題

はじめに述べたように、本稿の目的は時間短縮の問題をとりあげることではなく、時間短縮の基礎ともいうべき八時間労働の展開形態をとりあげることである。しかし、現下の重要問題である時間短縮問題に全くふれないわけにはいかない。直接の関連はなくとも、八時間労働制の現実的意義を検討するにあたって、現在の時間短縮問題の動向は、一応は念頭においておかなければならないからである。

八時間労働制の体系が完成したと同時に週四〇時間労働制への歩みがはじまったことは、すでに前節においてふれておいた。しかし、週四〇時間労働制（一日七時間労働制の発展したものと考えられるが）の要求は、実は、そのはるか以前、すなわち第一次大戦直後にはじまっている。イギリスにおいて炭坑労働につきいち早く七時間労働が立法された（一九一九年）のは地下労働の特殊性によるものであるとしても、一九二七年には、ソ連において、すでに七時間労働制への移行を開始している。しかしながら、このような八時間労働制から七時間労働運動への進展は決して直線的に行われたものではなかった。それどころか、ＩＬＯ第一号条約が八時間労働制を宣言した直後には、かえって後退現象すらみられる。たとえば、イギリスにおいて炭坑七時間労働は八時間労働にあらためられ（一九二六年）、ドイツでは一九二四年に八時間労働法が改正されて、八時間労働を原則としつつ一〇時間まで延長することができることとした。このような労働時間延長への動きの原因となったものは、いうまでもなく、第一次大戦後の経済復興を目的とする産業合理化運動であった。

時間短縮問題は失業問題

それにもかかわらず、ＩＬＯ第四七号条約（一九三五年）が四〇時間労働制をうたうにいたった原因は、どこにあったのであろうか。この点につき、同条約前文は、一つの手がかりを与えてくれる。いわく、「失業が広範囲かつ持続的となりたるため、自己責任なくかつ当然に救済せらるべき困苦および窮乏になやむ幾百万の労働者が現時世界を通じて存在するにかんがみ……」この条約を採択するという。すなわち、ここでは、労働時間の短縮は、何よりも失業問題の一環としてとりあげられたのである。一九二九年の大恐慌は、世界がかつて知らなかった深刻かつ大規模なものであった。その結果生みだされた失業者をどのように救済するかということは、各国に共通の問題であった。その集中的表現が前記第四七号条約である。

もっとも、これよりさき、一九三四年には第四三号「自動式板硝子工場における労働時間の規律に関する条約」が週平均四二時間労働を、一九三五年には第四六号「炭坑における労働時間を制限する条約」が一日七時間一五分労働をうたってはいる。しかし、第四七号条約の成立を契機に、第四九号「硝子壜工場における労働時間の短縮に関する条約」（一九三五年）が週平均四二時間労働を、第五一号「公共事業における労働時間の短縮に関する条約」（一九三六年）が週四二時間労働を、第六一号「繊維工業における労働時間の短縮に関する条約」（一九三七年）が週四〇時間労働を、それぞれ「生活標準の維持をふくむ一九三五年の四〇時間制条約に掲げられる原則を確認し」て規定している。そしてまたこの時期は、各国とも、失業保険、最低賃金制などとともに労働時間の短縮の問題に、真剣にとりくまざるをえなかった時期でもあった。

二　労働時間短縮問題の新段階

第二次大戦と時間短縮問題　第二次大戦は時間短縮運動を中断させ、戦時中は各国とも、程度の差こそあれ、それぞれに労働時間を延長した。戦後には、再び労働時間の短縮がとり上げられ、直ちに戦前の状態に復することができなかったにしても、少くとも、その方向へむかっての努力は行われた。しかし、戦後の労働時間短縮運動が新しい様相を呈しはじめたのは、何といっても、一九五五、六年頃からヨーロッパを中心として展開されはじめた時間短縮運動からである。そして、この新しい労働時間短縮問題は、ＩＬＯが一九六二年総会において労働時間短縮の勧告（一一六号）を採択したことによって一つの段階を劃した。

新しい時間短縮運動の背景　この時期に新たに労働時間短縮が強力に推進されはじめた原因については、いろいろな説明がなされている。それらの中で、ほぼ共通に承認されているものの主なものを二、三挙げると、第一は、経済成長によって生産がのび、生産性が向上したことにより、生産の成果の再分配、つまり利潤の配分ということが主張されはじめたことである。

第二には、オートメーションをはじめとする技術革新の発展である。技術革新、企業合理化ということから、労働者は過去の経験上、直ちに人員整理への恐怖を感じる。その対策として労働時間短縮が考えられるのは、すでに述べた第一次大戦後の歴史にてらしても当然のことである。

第三に、技術革新が労働時間短縮運動を促進するのは、失業への恐怖のみによるものではない。別の側面として、技術革新による生産技術の高度化および、それにともなう労働の緊張度、疲労度の増大もまた、労働時間の短縮を要求する重要な原因の一つとしてとりあげることができよう。

最大の焦点は余暇の利用

しかしながら、現在において労働時間の短縮を労働者が要求する最大の原因は、余暇への願望であるといっていいであろう。もちろん、技術革新による生産技術の高度化が、高度な生産技術にともなう高度な労働条件という意味で労働時間短縮への要求を促進するということもある。しかし、それよりも端的に、生活を享受するという意味での余暇への願望（レジャー・ブーム、ヴァカンスという言葉は未だわれわれの記憶に新しい）が、現在の労働時間短縮問題の最大の焦点であるということができよう。

時間短縮は現実にすすんでいる

従来の時間短縮の問題が、労働者の健康を保護する絶対的な必要性とか失業対策などを契機に促進されてきたことについては、別段の不思議はない。労働と賃金との等価交換の原則からいって使用者の側からは労働時間を最大限に有効に利用することが要請されるとしても、労働者の健康保護による労働力再生産の確保や失業問題の解決は、労働時間の有効利用以上に基本的な企業存続の基礎的条件であり、ひいては資本主義的生産機構そのものの存立要件だからである。これに反して、余暇への願望ということは、労働者の側からは労働時間短縮への重大な契機となるにしても、従来の使用者の立場からは、むしろ企業にとっての否定的な契機としてとらえられやすい。余暇利用の機会を増大するために労働時間を短縮するということは、企業の犠牲において労働者に余暇享有の利益を与えることになると一応は考えられるからである。それにもかかわらず、現段階においては、労働時間の短縮は、労働組合側が要求し経営者側が当然にこれに反対するというような単純な図式を描いてはいない。たしかに表面的には、労働組合側が年次運動方針において労働時間の短縮を闘争目標として掲げ、経営者団体がこれに反対するという形はある。また昭和三二年の全繊同盟の一五分間時間短縮闘争をはじめとして、主要な時間短縮は組合からの要求により、かつ、程度の差はあっても何らかの闘争の後に実施されている。しかし、現実には、経営者団体の公式の反対にもかかわらず、労働時間の短縮は、かなりの速度で進展しはじめている。たとえば、中央労働委員会の昭和三九年六月末現在における「労働時間・休日・休暇調査」(中央労働時報四二〇号)によれば、全国主要企業三六六社のうち一〇二社が昭和三六年七月一日から同三九年六月三〇日の間に労働時間を短縮しており、このほか、昭和四〇年四月までに実施予定のもの八社、検討中のもの八一社におよんでいる。このような労働時間短縮問題の進展の原因としては、一つには、労働時間短縮の問題が至上命題として何人も否定し得ないものとなっていることが挙げられよう。労働時間短縮に反対する経営者団体ですら、「週休二日制、休日増加は、経済、社会福祉の追求において、これは労使共通の悲願であります」といわざるを得ず（吉田美之「経済二重構造と時間短縮」日本労働協会編・時間短縮九五頁）、ただ、生産性向上が伴わない現状においてはその条件がないといっているのである。

つぎに挙げられるのは、労働組合運動の比重の増大であろう。かつての一日一〇時間労働あるいは八時間労働が要求された時代と比較すれば、労働組合運動は、単に量的にばかりでなく、社会的機能の面においてもはるかに重要なものとなっている。このような労働組合運動の飛躍的発展を背景として現在の労働時間短縮運動が促進されていることはみのがすことができない。

他方において、使用者側の事情を考えると、賃金その他の面における労働条件の水準化の傾向が求人難と相まって使用者をして労働時間短縮の方向へとすすませたことは否定できない。他の労働条件が同一であれば、労働時間の短い企業、休日・休暇の多い企業が求人の場合に有利な地位に立つのは当然だからである。また、前述した技術革新、企業の合理化が企業に対して労働時間短縮に対応する余力を与えたこともみのがすことはできない。しかしながら、より重要なことは、現在においては、生産性の大小は単なる労働時間の長短によって左右されるのではなく、労働時間の質によって影響されるところが大きい、ということが認識されはじめたことであろう。ここで労働時間の質というのは、「労働強化」とか、「労働密度の増加」を意味するのではない。労働者の労働に対する積極性、企業に対する自発的協力の程度をもふくめて考えられているものである。技術革新の進展と企業間競争の激化とは、労働者一人当りの生産単位を増大させ、労働時間の長短のような形式的要素だけでなく、労働者の企業に対する協力性の程度の如何が生産性の向上に重要な関係をもつに至る。提案制度、企業内訓練、ヒューマン・リレイションを中心とする、いわゆる近代的労務管理、人事管理の高度化の問題はその一環であるが、労働時間短縮も、その重要な一翼をになうことになる。すなわち、労働時間短縮の問題は、単なる労働時間の長短の問題でもなければ、単なる余暇利用の問題でもない。そして、また、労働時間の長短の問題と余暇利用の問題とは、単に原因と結果との関係で相関関係をもつのではなく、生産と余暇との組合せとして最も適当な形は何かという統一的な観点から検討すべき問題となる。生産に最も適当な労働時間は何時間かという生産本位の観点から労働時間を決定するのでもなく、余暇利用の必要性の観点から労働時間の制限を考えるのでもない。適当な余暇は労働時間の生産性をも増大させるという意味で重要性をもつにいたるのである。

前述の中労委調査によれば、時短実施一〇二社の実施の動機としては、能率向上三〇、従業員の健康維持・増進三一、従業員の余暇享受一二、生産性向上成果の配分一六、求人確保五、その他一〇が挙げられている。これに対して、労働時間短縮による影響としては、出勤率の変化（上昇三一、保合六、低下五）、災害率の変化（低下二三、保合六、上昇一〇）、一人一月当り実労働時間の変化―所定外時間（減少一六、保合二、増加一五）、所定内外時間計（減少二九、保合三、増加三）―、生産面・営業面における支障（なし四七、あり三）となっている。これだけの調査結果からみても、労働時間の長短・生産性の向上と余暇利用との密接な関係は推察することができよう。

IV　労働時間決定の基準

八時間労働の根拠は何か　一〇時間労働から八時間労働へ、さらに週四〇時間労働への進展の過程それじたいが示すように、労働時間を決定する要因は、あるときは失業問題であり、あるときは労働者の健康保護の問題であり、また、あるときは、これらの要素と他の要素との複雑な組合せであって、必ずしも一様ではない。

元来、労働時間は何時間が適当であるかということを科学的に計算することは、きわめて困難である。かりに他の要素を一切除外して、労働時間は労働者の健康保持ならびに労働再生産に必要な休息時間を考慮して定められるべきであるという原則によるとしても、まず具体的には、労働の種類・態様などによって差異を生じる。また、労働の種類・態様などによる差異を一応別にしても、いわゆる最適労働時間を科学的に算定することは不可能に近い。たとえば、疲労測定の手段として用いられている視覚検査の一つであるフリッカー値の日間低下率測定にしても、血液中のヘモグロビンの量の平均値測定にしても、労働時間の長短にともなう疲労度を示すことができるだけであり、適正労働時間を示すことができるわけではない。つまり、疲労度の測定によって、労働力の再生産を不可能とするような労働時間の最高限界を示すことは可能であるかもしれないが、最も適当な労働時間を算定することはできない。さらに、労働時間の長短は、単に疲労度の大小に関係があるだけでなく、一日のうちの労働時間以外の部分すなわち休息・余暇の部分に影響を与え、それによって疲労回復の度合を左右するのであるから、適正労働時間の算定は、いよいよ困難なものと考えられる。

たしかに、労働科学の立場から「適正労働時間」が論じられたことはある。しかし、それは、純粋に労働科学の立場からというよりは、労働時間の短縮と生産量との関係、労働時間の短縮と雇用量との関係と関連して論じられたのであり、しかも、労働日の長さを規定する経済法則として提起されたものではなく、いろいろな長さの労働日のなかからどれをえらぶのが合理的かを判定する基準として提唱されたものであり、「八時間労働日がそれより長いどの労働日よりも資本にとって合理的であることを立証する過程で形成された観念」(内海義夫・労働時間の理論と問題八八頁「最適労働時間論への批判」)であった。したがって、今後において労働時間はどこまで短縮されるのが適当かという意味での適正労働時間決定の基準となるものではない。

結局のところ、労働時間決定の基準は、労働者の健康保持ならびに労働再生産に必要な限度という肉体的な限界と、労働者がおかれている生活水準、社会的諸条件から生じる精神的・社会的欲望という文化的・社会的な限界とを柱とし、これに失業防止その他の副次的要因がからみ合うということができる。そして、現在においては、「余暇利用」への希望という形で労働者の精神的・社会的欲望が健康維持の必要の限度をこえて労働時間短縮への強い契機となりはじめていることは、前項において指摘したとおりである。

労基法の八時間労働はどのようにしてきめられたか

わが国の労基法(労働基準法)が一日八時間・週四八時間労働制をとっているのも、科学的な根拠によるというよりは、法制定当時の複雑な経済的・社会的諸要因によるものであって、法制定時の連合軍司令部労働委員会の最終報告(昭和二一年八月二五日)にも、「委員の多数が一日八時間・一週四八時間の基準が実行され得るものと信じたが、他の者は、最大の生産を確保するため現在の窮迫した時期においては一層長い労働時間が必要なことが判明するであろうと信じた」と記載されており、意見がわかれていたことを示している。

現在、労基法の原則は、一日八時間・週四八時間労働であり(労基法三二条)、労働時間が六時間を超える場合においては少くとも四五分、八時間を超える場合においては少くとも一時間の休憩時間を与えるべきこととされている(同三四条)。このうち、労働時間を一日八時間としたのは、法制定当時ILO条約その他によって八時間労働制が国際的基準となっていたこと、法制定のために行った労働時間調査(昭和二一年三月現在)によれば、わが国の工業的企業の約七割三分が実質的に八時間労働制をとっており、八時間労働制が実施可能であると考えられたこと、八時間労働制をもって労働者の一般的福祉と労働能率を増進するために必要な最長労働時間であるとする考え方は、わが国においてもすでにひろく普及し、労働組合側はさらに一日七時間・週四〇時間制を要求しつつあったことなどの諸般の情勢の綜合的検討の結果であるが、休憩時間についても明確な科学的資料に基づいたわけではなく、工場法や、労基法制定にあたっての「所定就業時間別休憩時間調」(昭和二一年三月)を参考とし、休憩時間問題が主として女子および年少者に対して重要な意味をもつこと、わが国では休憩時間と食事時間が一本に取り扱われているため休憩時間にある程度の長さが必要なことなどと、八時間二交替制との関連を考慮したものといわれている。すなわち、労基法制定当時は戦後の経済復興のため八時間二交替制が重要性をもっていたのであるが、女子の深夜業は禁止される（労基法六二条一項）ので、午前五時から始業しても八時間労働・一時間休憩とすれば、二番方は午後二時から一一時までとなって一時間だけ深夜業にかかる。そうかといって、各番方三〇分合計一時間を短縮するために休憩時間を三〇分とすることは食事時間として十分ではない。そこで、休憩時間を各四五分として合計三〇分を短縮し、かつ、交替制の場合の深夜業については三〇分間の例外をみとめることとして（労基法六二条三項）、調整を行ったものである。労働時間や休憩時間が具体的にはどのような根拠で決定されていくかを、ほぼ推定することができよう。

第二章　八時間労働と労働基準法

I　わが国における労働時間制の沿革

工場法以前の労働時間は一日一二時間

工場法制定までは、わが国においては労働時間について法律上何らの制限も加えられていなかった。『職工事情』によっても、当時の労働時間は若干の休憩時間をふくめて一日一二時間が通常であり、これに居残り・残業などが加わって、通算すると一日一八時間以上に達することもめずらしいことではなかった。労働時間を延長するために時計の針をおくらせ、他の工場の汽笛などで正確な時間がわかって時計がおくれていることが知られると困るというので汽笛をならすのをやめたなどということも記されている。このような長時間労働は当然に労働者、ことに紡績業における婦人労働者の肉体を破壊し、労働力の荒廃化をまねいた。しかし、このような労働力の荒廃化をおそれた政府の工場立法制定の要望にもかかわらず、また争議その他の形による労働者の抵抗もないわけではなかったが、未だ大勢をしめるに至らず、労働時間に対する法規制は工場法の制定をまたなければならなかった。

工場法は女子・年少者の労働時間だけを規定

大正五年九月一日から施行された工場法（明治四四年法四六号）は、いわゆる「保護職工」の観念をとり入れ、女子および年少労働者を一般成年男子労働者と区別してとくに保護することとし、労働時間についても、一五歳未満の者（大正一二年工場法改正〔法三三号〕により一六歳未満となる）および女子については一日一二時間（同上法改正により一一時間となる）の就業時間（拘束労働時間）の制限を定め（ただし、同法施行後一五年をかぎり主務大臣の権限で二時間までの延長ができる）、午後一〇時から午前四時（同上法改正により午前五時となる）までの深夜業を禁止した。しかし、一般労働者に対する労働時間の規整は行われていない。この当時において女子・年少者以外の労働者をも対象とする労働時間の制限が行われたのは鉱業労働者についてである。工場法と同じく大正五年から施行された鉱業法（明治三八年法四五号）に基づき制定された鉱夫就業扶助規則は、工場法と同じく一五歳未満の者（大正一二年より一六歳未満となる）および女子について一日の就業時間を一二時間（大正一二年より一一時間）と定めたほか、昭和三年の規則改正（鉱夫労役扶助規則）により、坑内夫についての在坑時間を一日一〇時間に制限している。しかし、その他の分野では、労働時間の一般的制限は存在せず、たとえば商店法（昭和一三年法二八号）は、労働時間の制限を「職工」から商業労働者へと拡張した意味では注目すべきものであるとはいえ、「常時五〇人以上の使用人を使用する店舗」においては一六歳未満の者および女子を一日につき一一時間を超えて就業させることができないと定めるにとどまった。

成年男子の労働時間はどうなったか

一般成年男子についての労働時間制限立法がわが国においてはじめてあらわれたのは、皮肉なことに、戦時立法としてであった。すなわち、国家総動員法（昭和一三年法五五号）に基づく工場就業時間制限令（昭和一四年勅令一二七号）は、就業時間を一日一二時間に制限している。しかし、この労働時間の制限は、戦時における軍需生産という特殊な条件のもとにおける「適正労働時間」の観念に基づくものであり、いわば「できるかぎり最大のエネルギーを働かすようにきめられた労働者と、費用におかまいなく最大の生産量をえるようにきめられた雇用者」とを前提とするものであって、制限労働時間が一二時間というように長時間のものであったばかりでなく、戦局の激化によって労務保護統制が労務配置統制により駆逐され、生産力増強よりも生産の増大そのものが至上命題とされるにいたると、その制限すら廃止されざるを得なかった。かくて、工場法戦時特例（昭和一八年勅令五〇〇号）は工場就業時間制限令の効力を停止し、ついにわが国においては労働基準法（昭和二二年法四九号）の成立にいたるまで、八時間労働制は実現をみるにいたらなかった。

II 労働基準法における労働時間制

労働時間に関する規定は綜合的検討が必要

労働時間制が単なる労働時間の長短の問題ではなく、休日・休暇の問題と密接かつ有機的に組み合されたものであることは、第一章において論じてきたところである。それが具体的にわが国においてどのように展開されているかを検討するのが本書の主題であるが、そのために、あらかじめ労基法が労働時間についてどのような規整を行っているかということについての概観をしておくことが便宜であろう。

その場合に注意しなければならないことは、労基法は第四章を「労働時間、休憩、休日及び年次有給休暇」と題してはいるが、このほかに第六章「女子及び年少者」、第七章「技能者の養成」の部分においても労働時間等について例外規定をおいていることである。労基法が定める労働時間制は、これらの諸規定を相互に関連づけながら綜合的に把握する必要がある。

一 労働時間

労働時間の例外は多い　労働時間の原則は、一日八時間・一週四八時間である（法三二条一項）。ただし、一五歳未満の児童を例外的に労働者として使用する場合には（法五六条一項参照）、修学時間外において、かつ修学時間を通算して一日七時間・一週四二時間に制限される（法五六条二項・六〇条二項）。しかし、労働時間についての例外規定はきわめて多い。

(1)　変形八時間労働制　就業規則その他により四週間を平均して一週間の労働時間が四八時間を超えない定めをした場合は、特定の日または特定の週において、一日八時間または一週四八時間を超えて労働させることができる（法三二条二項）。ただし、一五歳未満の児童については変形八時間制はみとめられず（法六〇条一項）、満一五歳以上一八歳未満の者については、一週の労働時間が四八時間を超えず、そのうちの一日の労働時間を四時間以内に短縮する場合においては、他の日の労働時間を一〇時間まで延長することができる（法六〇条三項）。

(2)　事業の特殊性による特例　労基法が定める労働時間に関する規定が厳格に適用されるのは、製造業（法八条一号）、鉱業（同二号）、土木・建築業（同三号）のみである。その他の事業については、つぎの例外がある。

(イ)　農林業（法八条六号）、畜産・養蚕および水産の事業（同七号）については、労基法第四章・第六章に定める労働時間、休憩および休日に関する規定は適用されない（法四一条一号）。

(ロ) 運送業(法八条四号)、貨物取扱業(同五号)、商業(同八号)、サービス業(同九号)、興業(同一〇号)、郵便・電信・電話事業(同一一号)、教育・研究・調査事業(同一二号)、保険衛生事業(同一三号)、接客業(同一四号)、焼却・清掃・と殺業(同一五号)、官公署(同一六号)、その他命令で定める事業または事務所(同一七号)であって、公衆の不便を避けるために必要なものその他特殊の必要あるものについては、その必要避くべからざる限度で、労働時間および休憩について、命令で別段の定めをすることができる(法四〇条一項)。ただし、満一八歳未満の者については、この例外は適用されない。この特例は、いわゆる法四〇条の特例として労働時間に関する規定のうち最も複雑なものであり、つぎのような命令が定められている。

(a) 運送業または貨物取扱業のうち、鉄道による物品輸送の取次、受取、集貨、配達、積込、取卸業務(通運事業法二条一項一号ないし四号)に従事する労働者で特殊日勤または一昼夜交替の勤務につく者については、一日について一〇時間、一週間について六〇時間まで労働させ、または、四週間を平均して一日の労働時間が一〇時間、一週間の労働時間が六〇時間を超えない定めをした場合には、その定めによって労働させることができる。ただし、列車、気動車、電車、自動車、航空機等に乗務する者は除かれる。(労基法施行規則二六条一項)

(b) 運輸業において列車、気動車または電車に乗務する労働者で予備の勤務に就く者については、一週間の労働時間が四八時間を超えない限りにおいて、一日について八時間、一週間について四八時間を超えて労働させることができる。(施行規則二六条の二)

(c) 商業(常時三〇人以上の労働者を使用する販売または配給の事業を除く)、興業(映画製作の事業を除く)、保健衛生事業、接客業については、一日について九時間、一週間について五四時間まで労働させることができ、また、四週間平均五四時間の範囲内で変形九時間労働制を定めることができる。ただし、保健衛生事業を除いては一一時間を超える定めをすることができない。(施行規則二七条)

(d) 郵便・電信・電話の事業で、屋内勤務者三〇人未満の郵便局において郵便、電話または電信の業務に従事する者については、四週間を平均して一日の労働時間が一〇時間、一週間の労働時間が六〇時間を超えない定めをした場合には、この定めによって労働させることができる。(施行規則二八条)

(e) 警察官、警察吏員、消防吏員または常備消防職員については、一日について一〇時間、一週間について六〇時間まで労働させ、または前項の変形一〇時間の定めにより労働させることができる(施行規則二九条)。

(3) 業務の特殊性による特例

(イ) つぎの者については、労基法第四章および第六章で定める労働時間、休憩および休日に関する規定は適用されない(法四一条)。

(a) 監督もしくは管理の地位にある者または機密の事務を取り扱う者。

(b) 監督または断続的労働に従事する者で、使用者が行政官庁の許可をうけた者。

(ロ) 坑内労働については、坑口に入った時刻から坑口を出た時刻までの時間を、休憩時間をふくめて労働時間とみなす(坑口八時間制。法三八条二項)。ただし、女子・年少者については坑内労働は禁止されている(法六四条)。

二 休憩

休憩時間については、つぎの三つの原則がある。第一に、休憩時間は、労働時間が六時間を超えるときは四五分以上、労働時間が八時間を超えるときは一時間以上を労働時間の途中に与えなければならない(法三四条一項)。第二に、休憩時間は一せいに与えなければならない(同条二項)。第三に、休憩時間は自由に利用させなければならない(同条三項)。

休憩にも例外がある

しかし、これにも、つぎのような例外がある。

(1) 法第四一条の例外(前述労働時間の例外(2)(イ)、(3)(イ))。

(2) 法第四〇条の例外として、つぎの者には休憩時間を与えなくともよいとされている。ただし、この例外は満一八歳未満の者には適用されない(法六〇条一項)。

郵便・電信・電話の事業に従事する者で、施行規則第二八条により変形一〇時間制の適用をうける者（前述労働時間の例外(2)(ロ)(d)）、運送業または郵便の事業に使用される労働者のうち、列車、気動車、電車、自動車、船舶または航空機に乗務する機関手、運転手、操縦士、車掌、荷扱手、列車手、給仕、暖冷房乗務員、電源乗務員および鉄道郵便乗務員で長距離にわたり継続して乗務する者ならびにこれに準ずる者（施行規則三二条）。

(3) つぎの場合には、一せい休憩の原則は除外される。

(イ) 労働基準監督署長の許可をうけた場合（法三四条二項但書）。

(ロ) 坑内労働（法三八条二項但書）。

(ハ) 運送業、商業、サービス業、郵便・電信・電話事業、保健衛生事業、接客業、官公署（法四〇条、施行規則三一条）。ただし、この例外は一八歳未満の者には適用がない（法六〇条一項）。

(4) つぎの場合は、休憩時間自由利用の原則は適用されない。

(イ) 坑内労働（法三八条二項但書）。

(ロ) 警察官、警察吏員、消防吏員、常備消防職員、監獄官吏、少年院教官および救護院に勤務する職員で児童と起居をともにする者、乳児院、養護施設、精神薄弱児施設、盲ろうあ児施設、虚弱児施設および肢体不自由児施設に勤務する職員で児童と起居をともにする者（法四〇条、施行規則三三条）。ただし、一八歳未満の者には適用されない（法六〇条一項）。

三　休　日

休日は週休制が原則であるが、これにも例外がある

休日は毎週少くとも一回与えなければならない（法三五条一項）。毎週少くとも一回ということは、特定の日ということまでは要求していないから、日曜日にかぎるわけではないし、週のうちのある日に特定する必要はない。毎週日が異っていても、法の規定の上では差支えない。また、毎週一回ということは、どの一週間をとってもということではないが、日曜日から土曜日まであるいは月曜日から日曜日までという暦週というわけでもない。この点の解釈は、週休日が特定されているときにはあまり問題はないが、変形週休制の適用の場合に問題となるので、後に検討する。

週休の原則についても、つぎのような例外がみとめられている。

(1)　変形週休制、すなわち四週間を通じて四日以上の休日を与えるときは、毎週一回でなくとも差支えない（法三五条二項）。

(2)　第四一条の例外（前述労働時間の例外(3)(イ)）。

(3)　つぎの場合には、休日に労働させることができる。ただし、通常賃金の二割五分以上の割増賃金を支払わなければならない（法三七条）。

(イ)　災害その他避けることのできない事由によって、臨時の必要がある場合。ただし、その必要の限度においてであり、かつ、労働基準監督署長の許可をうけなければならない。事態急迫のため労働基準監督署長の許可をうける暇がない場合は、事後に遅滞なく届け出なければならない（法三三条一項）。労働基準監督署長が休日労働を不適当とみとめたときは、その後にその時間に相当する休憩または休日を与えるべきことを命じる（代休命令または代休付与命令）ことができる（同条二項）。

(ロ)　官吏、公吏その他の公務員につき臨時の必要がある場合（同条三項）。

(ハ)　労働組合または従業員の過半数を代表する者との間に書面による協定を作成し、行政官庁に届け出た場合（法三六条）。ただし、女子および一八歳未満の者については、協定による休日労働はみとめられない（法六〇条一項・六一条）。

四　時間外労働

時間外労働にもいろいろある

(1)　非常事態の時間外労働　災害その他避けることのできない事由によって臨時の必要がある場合には、労働基準監督署長の許可をうけて、その必要の限度で労働時間を延長することができる。事態急迫のため労働基準監督署長の許可をうける暇がない場合は、事後に遅滞なく届け出なければならない（法三三条一項）。労働基準監督署長が労働時間の延長を不適当とみとめる場合は、その後にその時間に相当する休憩または休日を与えるべきことを命じる（代休命令、代休付与命令）ことができる（同条二項）。右の理由により時間外労働をさせた場合も、通常賃金の二割五分以上の割増賃金を支払わなければならない（法三七条）。

(2) 通常時の時間外労働　当該事業の労働者の過半数をもって組織する労働組合または、そのような労働組合がないときは労働者の過半数を代表する者との間に、使用者が書面による協定を作成し、労働基準監督署長に届け出た場合は、基準労働時間を超えて労働させることができる（法三六条）。この場合にも、通常賃金の二割五分以上の割増賃金を支払わなければならない（法三七条）。

この、「協定による時間外労働」については、つぎの制限がある。

(イ) 満一八歳未満の者については、協定による基準外労働はみとめられない（法六〇条一項）。

(ロ) 坑内労働その他命令で定める健康上特に有害な業務（施行規則一八条に規定する業務）の労働時間の延長は、一日について二時間を超えることはできない（法三六条但書）。

(ハ) 満一八歳以上の女子については、協定による時間外労働は、つぎの範囲内でのみみとめられる（六一条）。

(a) 一日について二時間、一週間について六時間、一年について一五〇時間。

(b) 財産目録、貸借対照表または損益計算書の作成その他決算のために必要な計算、書類の作成に従事させる場合には、一週間について六時間ではなく、二週間について一二時間を超えない限度。

五 深夜業

深夜業は一般的には禁止されていない　深夜業そのものを一般的に禁止する規定はないから、制限労働時間の範囲内であれば深夜業（午後一〇時から午前五時、または労働大臣が必要とみとめる場合には、その定める地域または期間については午後一一時から午前六時）をさせることができる。ただ、通常賃金の二割五分以上の割増賃金を支払わなければならない（法三七条）。

女子・年少者の深夜業は禁止される　(1) 深夜業の禁止　満一八歳未満の者および女子の深夜業は禁止される。ただし、満一六歳以上の男子を交替制によって使用する場合はこのかぎりでない（法六二条一項・二項）。

(2) 深夜業の時刻変更　満一五歳以下の児童を例外的に使用する場合（法五六条二項）には、午後八時から午前五時（労働大臣が地域または期間をかぎって指定したときは午後九時から午前六時）までは深夜業として禁止される(法六二条五項)。

(3) 交替制の深夜業　満一五歳を超え一八歳未満の者および女子を交替制によって労働させる事業については、深夜業の禁止を午後一〇時三〇分から午前五時まで、または午後一時から午前五時三〇分までとすることができる(法六〇条三項)。

(4) 非常事態および女子深夜業の例外　災害その他の事由により労働時間を延長しもしくは休日に労働させる場合(法三三条一項。前述四(1))、または、農林業、畜産・養蚕および水産の事業、保健衛生事業、接客業(満一八歳未満の者を除く)、電話の事業および中央労働基準審議会の議を経て命令で定める女子の健康および福祉に有害でない業務については、(1)、(3)の深夜業禁止の規定は適用されない。

第三章　八時間労働制の展開

I　基本型

八時間労働制の基本型とは何か　まず、八時間労働制の基本的な、最も典型的な形態を想定し、そこにどのような問題があるかというところから検討をすすめよう。この場合に、八時間労働制の基本的な形態とは、あらゆる修正形態を除外したものをいう。具体的にいうと、つぎの諸条件をそなえるものということになろう。

(1)　雇用される労働者は、一切の就業制限を伴わない男子成年労働者のみをもって構成されている。

(2)　交替制あるいは時差出勤制をとらず、すべての労働者が一斉に始業し一斉に終業する。

(3) 休憩は一斉に与えられ、かつ自由使用がみとめられている。
(4) 週休日は毎週日曜日と定められ、全労働者に適用されている。

労働時間の基本型にも問題は多い

このような典型的な労働時間制が実施されている場合には、問題は何もなさそうにみえる。しかし、このような基本的な形態の中に、すでにいくつかの重要な問題がふくまれている。そればかりでなく、一見きわめて些細にみえる事情の変化が生じれば、たちまちにして、この典型的な労働時間制は、さまざまな変化をこうむることになるのである。これを、順をおって検討してみよう。

労働時間はどのように計算するか

ある企業において労働時間が労基法の原則どおり厳格に適用されているものと仮定して、まず問題になるのは、労働時間とは何かということである。労基法第三二条は「労働時間」についての定義をおいていないが、その第一項が「休憩時間を除き一日について八時間」といっているところから、八時間労働制の場合の労働時間が休憩時間を除く実労働時間であって拘束時間でないことは明らかである。ＩＬＯ条約でも、一般に労働時間というときは、労働者が「使用者の指揮に服する時間」としての実労働時間をいうものとされている(三〇号条約 二条、五一号条約 二条五項、六一号条約 三条)。しかし、労働時間の規整がつねに実労働時間のみによってなされるとはかぎらない。実労働時間と拘束時間との双方を制限する立法例もないわけではない。ただ、労基法は実労働時間と休憩時間とについて別々の規定をおき、両者を一括しての拘束時間という観念を用いていないのであって、そこに、労働時間制の基本の体系としての不十分さがでてくる一つの原因がある。

労働時間と手待ち時間・休憩時間　労基法にいう実労働時間としての労働時間は、労働者が使用者の指揮にしたがって労務を提供する時間をいう。しかし、「労働を提供する」といっても、その時間の全部を通じて現実に作業が行われていることまでは必要ではない。作業と作業との合間の、いわゆる手待ち時間も、労務提供のために使用者の指揮命令下にあって拘束されているかぎりは労働時間である。これに反して、休憩時間は、使用者の指揮監督からはなれて自由に利用し得る時間である点において差がある。したがって、列車、自動車に予備乗務員として乗務している時間も、現実にハンドルはにぎっていなくとも手待ち時間として労働時間に算入される。ただ、現実に作業をしないという外見が共通なために、時としては、手待ち時間と休憩時間とが区別しがたいこともないわけではない。たとえば、「労働時間が六時間以上の場合においては少くとも三〇分の休憩時間または一五分の休憩時間を二回」（西ドイツ労働時間令一二条(2)）、あるいは「少くとも一五分の労働中止に限り、これを休憩とみなす」（同一八条(2)）のように休憩時間の長さを規定している場合には、この時間にみたない作業の合間の労働中止時間は手待ち時間として労働時間に入ると解することもできる。しかし、労基法にはこのような限定はなく、後にみるように、現実の就業規則例においても五分間の休憩時間を定めている例さえある。ただ、休憩時間である以上は、作業の都合によって不定期に労働中止を生じるということであってはならないから、労働中止が定期的に行われ、かつその時間の自由利用が確保されているときはこれを休憩時間とすることができ、そうでないかぎりは、いかに労働中止の時間が長くとも、手待ち時間として取り扱うべきであろう。具体例としては、列車回数一〇往復未満の日本国有鉄道の駅に勤務する労働者について、「汽車通過時間を除いた数時間を休憩時間とし、労働時間は基準法の定める範囲内」とすることは、休憩時間の自由利用が確実に実施されれば差支えないものとした解釈例規がある(昭二三・五・二〇基収一二六四)。

始業・終業の時刻は何を基準とするか

労働時間は始業時から終業時までをもって計算する。始業時とは、労働者が使用者の指揮監督下に入る時であり、終業時とは、労働者が使用者の指揮監督から離れる時をいう。始業・終業の時刻は就業規則において定めなければならない(労基法八九条一項一号)が、就業規則などにおいて始業・終業の時刻が定められているときは、原則として所定の始業・終業の時刻が労働時間の始期・終期となる。手待ち時間も労働時間に算入されるのであるから、所定時刻に現実に労働が開始され、あるいは労働が終了することまでが要求されているものではない。工場法第三条の解釈としても、「就業規則に依り直接作業準備の為作業開始数分前に各自受持の場所に着き責任者の指揮を受くる場合に於てはこの行為は作業準備工作と認むべきものにして工場法の就業時間中に通算すべきものなるも、単に作業場に入場し部署に着するに留まるは就業と見るべきに非ず」との社会局労働部長回答（大一五・一〇・一五労基発三二一）がある。前者は、すでに使用者の指揮監督下におかれて拘束されているからである。同様に、入門時刻午前七時四五分、作業開始午前八時と定めていて、入門時刻を基準として遅刻などの取扱いをしているときは、所定入門時刻である午前七時四五分が労働時間の起算時である（有泉亨・労働基準法二七九頁）。タイム・レコーダー打刻時をもって遅刻か否かを判断する場合も、同様にタイム・レコーダー打刻時が労働時間の起算点となる。これに反して、「始業は午前八時三〇分とし、労働時間には入門から担当職場までの時間を含まない」と規定しているときには（広島高裁判昭三四・五・三〇（労民集一〇・三・五三一）――この例では、作業所構内が広く、入門してから最も遠い職場までは二〇分ないし三〇分を要する）、担当職場に到着したときから労働時間が起算される。

ここで注意を要するのは、労働時間に算入されるのは、それまでに入門し、タイム・レコーダーを打刻し、あるいは担当職場に到着しなければならない「所定時刻」以降の時間についてであり、個個の労働者が現実に具体的に入門・打刻あるいは職場に到着した時からについてではないということである。たとえば、始業時刻を午前八時と定め、それまでにタイム・レコーダーを打刻すべきことを定めているときは、午前八時から労働時間に算入するのであり、それ以前に、たとえば午前七時三〇分にタイム・レコーダーを打刻した労働者については、午前七時三〇分から八時までの間は労働時間に算入されない。使用者が午前八時始業と定めるのは、それ以降は労働者を自らの指揮監督下におくという趣旨であって、それ以前は労働者が現実に入門・打刻していても、指揮監督下におかれないからである。したがって、就業規則において入門から担当職場に到着するまでの時間は労働時間にふくまれないと定めていながら、現実には始業時刻までに入門すれば遅刻扱いとしない慣行がある場合でも、そのことによって直ちに入門時から労働時間に算入されるということにはならない。就業規則上遅刻扱いとされるかどうかということと、労働時間算定の始期がいつかということとは、別問題である。右の場合でいえば、労務管理上の恩恵的措置として、もしくは、担当職場到着時について具体的に遅刻を判定することの技術的な困難さを回避するための便宜的措置として、まだ使用者の指揮監督下に入っていなくとも定刻までに入門していれば遅刻としないということにすぎないのであり、就業規則の規定に反して入門時から使用者の指揮監督下におくという趣旨ではないからである。

いずれにせよ、就業規則所定の始業・終業の時刻によって労働時間の始期・終期が定まるとすれば、所定時刻までに所定の入門手続を終った労働者については、所定始業時刻の到来によって一斉に使用者の指揮監督下におかれることになるのであるから、入門、タイム・レコーダーの打刻、担当職場への到着などの、いずれの事由をもって労働時間の開始とみるかは、実際上は大して問題ではない。個個の労働者がどれほど早く入門しようとも、所定の始業時刻が来るまでは使用者の指揮監督下に入らないのであって、労基法上の八時間労働の制限外の時間だからである。問題となるのは、遅刻した場合に、遅刻した時間だけ労働時間を延長する場合である。労働者が遅刻した場合に、それを考課に影響させることは当然としても、そのほかに、その分だけ賃金を差引くこともできるし、あるいは、遅刻しただけの時間、労働時間を延長することも可能である。その場合に、どれだけの労働時間を延長することができるか、すなわち、それが一日八時間を超えることにならないかどうかは、その労働者がいつ使用者の指揮監督下に入ったかによって定まるのであるから、その意味で、労働時間の始期を入門時におくか、打刻時におくか、担当職場到着時におくかが、問題となるのである。

準備および後始末に要する時間は労働時間か

就業規則などにおいて始業および終業の時刻を定めるということは、使用者が労働者を自らの指揮監督下におく時間を定めることであるから、原則として労働時間は所定時刻にはじまり、所定時刻に終る。労働者が所定時刻以前に入場、所定時刻以後に退場しても、所定時刻以前または所定時刻以後の時間は労働時間とはならない。しかし、所定時刻以前に入場し、または所定時刻以後に退場することが（正確に同刻にすべり込めるわけではないから、通常は何がしかの余裕をみて入場するであろうが、そのことは別として）労働の提供に不可避なものであれば、これを労働時間に算入すべきものではないか、という問題がある。いわゆる準備・後始末の問題がこれである。ただ、注意を要するのは、準備・後始末が「労働時間」にふくまれるかどうかを問題にするにしても、その取上げ方にはいろいろな角度があるということである。まず第一は、就業規則などの規定によって所定始業・終業時刻の前または後に準備・後始末をすることが定められていても、それが労基法にいうところの一日八時間の労働時間の制限にふくまれるかということである。この場合には、準備または後始末を労働時間にふくませるかどうかによって、労基法第三六条の労働時間延長の手続を要するかどうかが定まり、ひいては、労基法第三二条違反としての罰則（労基法一一九条一号）が適用されるかどうかに関係してくる。第二に、使用者が労働者に対して所定始業・終業時刻の前あるいは後に準備あるいは後始末をすることを命じることができるかという問題であり、第三には、労働者が所定労働時間内に準備または後始末をしても差支えないかということである。もっとも、第二、第三の問題は、同一の事項の盾の表と裏であり、等しく就業規則の解釈の問題であって、労働者が所定労働時間内に準備または後始末をすることができるとすれば、使用者はこれを所定始業・終業時刻外において行うよう強制することはできず、強いてこれを命じるとすれば労働時間の延長として賃金を支払わなければならず、また、そのかぎりにおいて第一の意味での労働時間の算定とも関連をもつことになる。しかも、準備・後始末を所定就業時間内において行うことができるかどうかは、それが第一の意味において労働時間とみなさるべきかどうかということと関連してくるのである。

指揮監督下に準備・後始末が行われるか

一般に準備作業・後始末が労働時間にふくまれるかどうかは、それが使用者の指揮監督下に行われるかどうかによって判断されるべきものとされている。したがって、前述のように所定始業時刻以降終業時刻までの間は労働者は使用者の指揮監督の下におかれるのであるから、準備作業が所定始業時刻後に行われるときは、これに要する時間が労働時間に算入されることは当然のことである。また、所定就業時刻前に行われるものであっても、作業開始前の朝礼、訓示、作業上の注意などが一斉に行われ、これへの参加が強制され、あるいはこれへの不参加について遅刻などの取扱いがなされるのであれば、前述の作業開始時刻と入門時刻とが別に規定されてある場合と同様に、使用者の指揮監督下にあるものとして労働時間に算入される。

各個に行う場合はどうか　問題となるのは、このような一斉に行われる行事ではなく、むしろ、作業開始のための服装の着換え、機械の点検、工具の整頓などのように、作業に附随して当然に行われなければならないものでありながら、個個の労働者が各個に行う準備ないしは後始末をどうみるか、ということである。もちろん、このような個個の労働者が行う準備ないしは後始末、たとえば、作業開始のための機械の注油点検、作業終了後の整理整頓、作業場内の清掃などでも、所定就業時間内に行わるべきものとされているときは、当然に労働時間に算入されるし、また一定の時刻に服装点検を行って作業に着手することとされているときは、所定始業時刻前であっても、服装点検の時刻をもって労働時間が始まるものと解すべきである。このように、就業規則所定時刻などによって一律に労働時間を算定することについては、それが現実になされる労働との関連を無視するものであるとの批判もある（吾妻光俊編・註解労働基準法二七八頁以下）。しかし、労基法にいう労働時間は現実に労務を提供している時間に限定すべきものではなく、使用者の指揮監督の下におかれている時間をいうと解する以上、やむを得ないところであり、現実になされる労働との関連を全く無視することはできないが、「労働させてはならない」（労基法三二条一項）との文字に厳格にこだわる必要もない。また、始業・終業時刻が定められているのに、具体的にどの程度の段階に達したときに「労働させ」ることになるかを判断することは、実際上困難であろう。

作業上必要な準備・後始末

これに対して、労働者が個個に行う準備または後始末であって所定始業時刻前または終業時刻後に行うものであり、使用者が点検その他の指揮監督を行うわけではないが、作業の必要上どうしても行わなければならない準備または後始末の作業について、これをどのように解するかは問題である。たとえば、「従業員は、労働時間中、定められた作業服を着用するものとする」、「退勤に際しては、機械・器具・備品・帳簿・書類その他の物品を所定の場所に整理収納し、職場の施錠を確実に行い、火気の後始末を厳重にし、水道・蒸気・ガスおよび電気の措置を完全に行うこと」などと規定されており、しかも、これらの処置が所定就業時間外に行われているときなどである。「所定時刻一〇分前までに入場し始業時刻と同時に業務を開始できるようにしなければならない」などと規定してあれば、前述の服装点検と同様に所定始業時刻一〇分前から労働時間がはじまり、「始業時刻」というのは労働時間の始期ではなく作業開始ないしは機械の運転開始時刻をいうと解されよう。しかし、「従業員は、始業時刻と同時に業務を開始できるように出勤して、自ら出勤簿に捺印もしくはタイム・カードに打刻しなければならない」、「つねに時間を厳守し、始業時刻までに所定の職場に到着し、終業時刻まで業務に専心し、就業時間外はみだりに事業場内にとどまってはならない」などと規定している場合は、どうであろうか。この点については、明確な基準は示されていないようであるが、一応つぎのように解することはできないであろうか。

準備・後始末を所定就業時間内に行わせるか時間外に行わせるかは使用者の任意であって、就業規則、労働協約などの定めるところによる。所定就業時間内に行わせるとき（所定就業時間外であっても使用者の指揮監督下に行わせる場合をふくむ）にはこれに要する時間は労働時間に算入されるが、所定就業時間外に任意に行わせる場合には労働時間に算入されない。ただし、労働の態様が危険・有害業務であるとか、作業の性質上いちじるしく身体が汚染するなどの理由で、法令により、あるいは作業の安全上、一定の保護具の装着を必要とするとか（労働安全衛生規則一二八条以下・一八一条以下など）、身体の洗滌を必要とする場合（同上二一六条）、および、所属部署に就いたのち作業開始前に機械・器具の点検整備などが義務づけられている場合であって、これに相当の時間を要するときは、形式的に使用者の指揮監督下に行われるのでなく、また所定就業時間外に行われる場合であっても、実質的に使用者の黙示の指示によるものとして、労働時間として取り扱うべきであろう（したがって、後述するタクシーなどの車輛引継ぎのための車体洗滌などは当然に労働時間である）。

労基法上の労働時間と就業規則上の労働時間

このように解した場合に、まず問題となるのは、同じような作業であるのに所定時刻前または後に行う場合と所定就業時間内に行う場合とによって取扱いを異にすることは、労基法の規定する労働時間の解釈について統一を欠くことにならないか、ということである。確かに労基法の定める労働時間の制限は、「健康で文化的な最低限度の生活を営む」（憲法二五条）ことを可能ならしめるために「労働者が人たるに値する生活を営むための必要を充たすべき」（労基法一条）ものとして定められているものであり、その意味では労働時間の解釈も統一的に行うべきものであるということがいえよう。しかし、準備作業ないしは後始末というのは、本来「労働時間」の内と外との限界点にあるものであり、これを労働時間として取り扱うかどうかを当事者の合意に委ねたからといって、結果的には労基法第三二条の趣旨をいちじるしく逸脱するとも考えられないので、当事者間において使用者の指揮監督下におかれるものとして賃金支払の対象とし、遅刻・早退等の判断の基準時間内にふくませるかぎりにおいて、準備・後始末に要する時間を労基法第三二条の労働時間と解することは、さほど不合理な結論ではないであろう。

つぎの疑問は、原則として所定就業時間内であるかどうかによって準備・後始末に要する時間を労働時間と解するかどうかを判断すべきものとしておきながら、特別の場合について例外をみとめることが、論理的に一貫しないのではないか、また、事実上そのような実質的判断は可能かどうか、ということである。しかし、右にも述べたように、準備・後始末に要する時間を所定就業時間の内外を基準として判断しようとするのは、それが実質において「労働時間」内として取り扱うことも労働時間外として取り扱うことも可能な性質のものだからであり、その実質において明らかに「労働」であり、実質的に本体としての労働の一部を構成し、したがって、実質的に使用者の指揮監督下に行われているようなものについては、所定就業時間外に行わせるという形式のみによってはこれを労働時間から除外しえないとすることは、論理的に矛盾するものではない。また、実際上の判断の困難さはある程度は避けられないとしても、本体としての労働に不可欠の要素であり、かつ、かなりの密度を有する作業であるかどうかということと、それに相当の時間を要するかどうかということとの、労働の内容と時間との双方の要素を考慮すれば、必ずしも絶対的に不可能ということはできないであろう。これに反して、始業時刻前または終業時刻後の準備・後始末はすべて労働時間にふくまれないものとすれば、使用者は、始業時刻と同時に作業を開始する旨を規定することによって、実質上の労働を所定就業時間外に行うことを暗黙のうちに強制することができるという脱法的措置を承認することになる。

このように、実質的に労働時間として取り扱うべき作業を現実に所定就業時間外に行わしめている場合に、具体的にはどのように取り扱うべきであろうか。所定就業時間に実質的労働時間を加算したものが労基法第三二条の制限内にとどまるのであれば、賃金のみが問題となり、労働者は、実質的に超過した労働時間についての賃金（労働協約または就業規則の規定の如何によっては割増賃金をふくむ。労基法三二条の制限内の場合であるから、使用者には労基法上の割増賃金の支払義務はない）を請求すれば足りよう。また労働者は、それが実質的に労働時間にふくまれるからといって、労働協約または就業規則の変更を行うことなしにほしいままに準備・後始末を所定就業時間内に行うことはできないと解すべきであろう。これに反して、所定就業時間が一日について実働八時間である場合、あるいは、八時間にみたない場合でも準備・後始末の時間を加えれば八時間を超える場合には、賃金（八時間を超える部分については当然に割増賃金をふくむ）の請求のみでは足りない。八時間を超えて労働させる場合には、通常（労基法三三条の場合を除き）労基法第三六条所定の手続を要し、この手続によらないで使用者が労働を命じても、労働者はしたがう義務を負わないからである。もちろん、労働者が使用者の指定するところによって実際に労働した場合には、使用者は八時間を超える時間について賃金（割増賃金をふくめて）を支払わなければならないが、その場合にも労基法第三二条第一項違反の責（労基法一一九条）は免れない。しかし、このような場合に労働者が労基法第三二条違反を理由として自由に準備作業を所定就業時間内に行うことができるかどうかは疑いがある。所定始業時刻に一斉に作業を開始しえないということは、当該労働者個人のみの問題にとどまらず、作業全体を混乱させるおそれがあるからである。もちろん、そのような作業混乱の責は労基法違反を行った使用者にあると解されないこともないが、準備または後始末を実質的に労働時間とみなすべきかどうかの最終的判断は裁判所が行うものであるし、当事者が独自に判断することにともなう混乱と危険とを考慮すれば、労使の協議もしくは行政指導によって解決することがのぞましい。

休憩時間の原則　八時間労働制の基本型においては、休憩は労働時間の途中において一斉に与え、自由に利用させなければならない。また、その時間は、労働時間が六時間を超える場合には四五分、八時間を超える場合には一時間である（労基法三四条）。

労働時間の途中においてということについては、途中のどの時間に与えるかということが指定されていない。立法論としては、諸外国の立法例、たとえば、「始業後四時間以内」（ソ連一九四一年労働法一〇〇条）、「仕事の性質、長さおよび労働条件全般を考慮して適当な間隔」（スエーデン一九四九年労働者保護法一七条一項）のように休憩時間の配置を指定するとか、「少くとも半時間の間隔をおかずには四時間半を超えて継続して労働させてはならない」（イギリス、婦人・年少者につき一九三七年工場法七〇条c項）のように一継続労働時間の長さを制限することがのぞましい。

また、休憩時間の分割にしても、前述の西ドイツ労働時間令のように休憩時間の最小限を定めて、極端に短時間の分割を制限すべきであろう。ことに、ここで基本型として考えている労働時間の形態においては、労働時間中に食事時間を必要とするのは明らかであるし、労基法第三四条は食事時間について何ら明文の規定はおいていない（諸外国の立法例中には食事時間を明示するものが多い）が、休憩時間中に食事時間をふくむことを予想しているものと解される。しかし、わが国の食生活の慣習が食事時間に相当の時間を要することを考慮すれば、何らかの基準を示すべきであったろう。現実にも、わが国では休憩時間は食事時間を中心に規定されているのが原則である。とくに、午前および午後の労働の途中において休憩を与えるほど労働密度の高くない業務については、ほとんど休憩時間を昼の食事時間に集中させているのが通例である。しかし、休憩時間を、食事時間に三〇分、午前一五分、午後一五分と分割している例も少くない。まれに、食事時間に五〇分のほか、午前五分、午後五分としたり、食事に二〇分、午前一〇分ずつ二回、午後一〇分ずつ二回としたりしている例があるが、ここまで分割すると、果して休憩時間というに価するかは、いささか疑問である。

休憩時間は一時間が多い　興味のあるのは、実際には休憩時間を四五分としている例が意外に少いことである。一日の所定就業時間は労基法第三二条によって原則として八時間に制限されているのであるから、所定休憩時間は一日八時間を超えない労働に対するものであり、労基法第三四条によれば四五分で足りるのであるが、実際には、休憩時間は四五分とするものよりも一時間とするものが多い。たとえば、昭和三九年六月度労働時間・休日・休暇調査（中労委事務局）によれば、調査対象（全国、従業員一、〇〇〇人以上）三六八社につき、本社（事務）部門の休憩時間は、四五分とするもの八七、五〇分とするもの一二、六〇分とするもの二五九、不明一〇であり、主たる事業所についてみると、四五分とするものの比率がやや増加してはいるが、なお、六〇分とするものが圧倒的に多い。また、「就業規則から見た労働条件」（東京都労働局昭和四〇年四月調査）によっても、事業所数一九二の中、昼の休憩時間を六〇分とするもの一二三、五〇分とするもの七、四五分とするもの四五、四〇分とするもの一二、その他五であり、これを企業の規模別にみると、三〇〇人未満の企業（八八）では六〇分とするもの四七、五〇分とするもの七、四五分とするもの二三、四〇分とするもの一〇、その他一、三〇〇人以上の企業（一〇四）では、六〇分とするもの七六、四五分とするもの二二、四〇分とするもの二、その他四であって、大企業の方が比率は大きいが、ともに六〇分とするものの方が多数を示している（これは昼の休憩時間のみについてであり、午前・午後の休憩時間を合算して六〇分となるものは、さらに増加するはずである）。このことは、労基法の規定にもかかわらず、一日八時間労働、休憩一時間ということが一種の社会通念として形成されつつあることを示すものであるが、それと同時に、前述（五二頁）のように労基法第三四条の規定じたいが交替制労働との関連において技巧的に計算されすぎたものであることからくる不合理さをも示すものであろう。

なお休憩時間を一斉に与えることについては、その単位は労基法の適用単位である労基法第八条の事業場ごとをいうものとされている(昭二三・九・一三発基一七。学説も一致している)。

休憩時間の自由利用と職場秩序　休憩時間の自由利用については、現実に、やや複雑な問題がある。まず、休憩時間を労働者の自由に利用させるということが、労働から完全に解放し、その時間中の労働者の行為につき制約を加えないことであることについては、争いはない。機械などの運転を完全に停止することまでは必要はない(ソ連労働法一四〇条はこれを規定している)が、機械を運転しているために故障などの場合の措置が暗黙のうちにでも要請されることになれば、休憩時間を自由に利用させることにはならない。電話番なども同様である。また、健康保持のために休憩時間に体操を強制することなども、結果としては労働者の休憩時間の利用がわるい場合にくらべて影響が良好であるとしても、やはり自由利用の原則に反する。

問題は、休憩時間の自由利用と事業場の規律保持、施設管理などとの関係である。休憩時間の自由利用といえども、自由なのは労働者個人の行動であり、事業場内においては、事業場の規律保持、施設管理上の制約にしたがうべきことはいうまでもない(昭二二・九・一三発基一七)。休憩時間中の企業の施設利用(たとえば集会の会場)についての許可制、立入禁止区域の厳守など、建物・設備などの維持保全および休憩設備の管理に必要な規律・制限はもとより、他の労働者の休息を妨げるような行為を禁止したり、また、企業施設内における政治活動を禁止したりすることは、経営秩序の問題であって、休憩時間の自由利用の原則に違反するものではない。

休憩時間中の外出

休憩時間中の外出をどのように取り扱うかは、なかなか困難な問題である。「事業場内において自由に休息しうる場合には」休憩時間中の外出について所属長の許可をうけさせても必ずしも違法とはならないとの見解もある（昭二三・一〇・三〇基発一五七五、吾妻光俊・労働基準法一七一頁、寺本・改正労働基準法の解説二九三頁）が、自由利用という以上、外出を許可制とすることは妥当を欠くことにはならないであろうか。入・出門の手続は当然のこととしても、人員を常時掌握しておく必要があるというのであれば届出をもって足りるであろう。作業再開時までに帰来することができない場合には制限することができるとの見解もある（吾妻編・註解労働基準法三二八頁）が、遅刻に対してはそれ相当の制裁を課すれば足り、外出を許可制とすることの論拠としては十分ではない（同旨、末弘「労働基準法解説」法律時報二〇巻三号三一頁、松岡三郎・条解労働基準法上四二一頁、有泉亨・労働基準法二九一頁、西村信雄ほか・労働基準法論一九七頁）。

学校の休憩時間は労働の休憩か授業の休憩か

特殊な問題として、学校教員の休憩時間の問題がある。実をいうとこの問題は、休憩時間の自由利用の問題というよりは、学校の休憩時間が「授業」の休憩時間か「教員」の休憩時間かという問題である。解釈例規は、「自由に利用することが保障されていれば」休憩時間と解するという（昭二三・五・一四基収七六九）が、小学校などでは、休憩のための休憩時間か授業の準備のための時間かの区別は実際問題として難しいし、また、休憩時間は児童のための休憩時間という意味がつよく、その間も教員は児童について責任を負わないということはできないし、昼休みにしても、給食制度の下において児童と食事をともにすることが職務上義務づけられているときは、「自由に利用することが保障されている」ともいえない。そうかといって、これを全く休憩時間ではないとすれば、小学校などでは、休憩時間を与えることは事実上不可能であるということになりかねない。少年院教官、救護院職員などで児童と起居をともにする者、養護施設などに勤務する職員で児童と起居をともにする者については休憩時間の自由利用の原則が排除されている（労基法四〇条、施行規則三三条）が、これとの関連で、何らかの合理的調整が考慮されるべきではなかろうか。

労基法は週休日を特定していない　八時間労働制が典型的な形で実施される場合には、休日も厳格な意味での週休制をとり、単に週一回の休日というだけでなく、週のうちの特定日を休日とすることが可能である。労基法第三五条は、前述のＩＬＯ条約や勧告（二七頁）にもかかわらず、休日を週のうちのどの日にするかについて規定せず、また週のうち日を特定すべきかどうかについても規定を設けていないから、毎週異った日を休日とすることも差支えない。しかし、休息、疲労の回復という意味では、休日は一定の間隔をおくことがのぞましいことはいうまでもないし、また健康で文化的な生活という意味では、一般社会の休日と一致することがのぞましいことも当然である。したがって、原則として週休は日曜休日を意味する。しかし、いわゆるサービス業で日曜日が書入れどきとなるような企業では、日曜日以外の日を週休日とすることが多い。かつては、理髪業は十の日、デパートは八の日を休日としていたが、週休制の実施によって、現在では、理髪業は月曜日、デパートは月曜日、木曜日などを週休日としている。しかし、たとえば都心などの理髪業では、日曜日の都心人口の減少を考慮して日曜日を週休日としているようである。

週休以外の休日の例は多い　労基法が要求している最低限度の休日は週一回の、いわゆる週休だけであるが、実際には休日はそれだけにとどまるわけではない。まず国民の休日であるが、前述の中労委調査によると、たとえば製造業のみについてみると、国民の祝日の九日全部を休日としているものは二四一社中一五四社にのぼる。国民の祝日を全く休日としていないものは一〇社にすぎない。銀行、保険、商事などでは、国民の祝日の全部を休日とするものの率はさらに高くなる。これは、企業の規模の大小とはあまり関係がないらしく、東京都労働局調査（前述）によると、つぎのような数字が示されている。

	総数	三〇〇人未満	三〇〇人以上
事業所数	一九二	八八	一〇四
あり	一七〇	七三	九七
一部休日			
三日	三	三	
四日	五	二	三
五日	五	三	二
六日	二	二	
七日	四	三	一
八日	四		四
なし	二二	一五	七

年末年始についても、三日ないし四日を休日とするものが企業の大小を問わず圧倒的に多い。ただ、メーデーになると、大企業を対象とした中労委調査では、これを休日とするものが製造業二四一社中二二三社にのぼるのに対して、東京都労働局調査では、三〇〇人未満の八八社中二一社、三〇〇人以上の一〇四社中四五社にすぎない。このほか、会社記念日、盆、地方祭などの、地方あるいは企業の特色を加味した休日も少くない。

週休以外の休日と週休日とでは取扱いがちがうことが多い

これらの休日の取扱いは、週休日とは必ずしも同様ではない。有給・無給の別については週休日と同様に扱うのが通例であるが、休日労働における割増賃金率については、週休日とそれ以外の休日とで率を異にしている例が意外に多くみられる。しかも、週休日の休日労働の割増賃金率を二割五分とし、それ以外の休日については三割とか五割とするものと、反対に週休日以外の休日については一割とか一割五分とするものとの、明らかに相反する傾向がみられるのは、考え方の相違として興味がある。

基本型にも適用除外がある――監督・管理の地位にある者

八時間労働制の基本型を設定した場合にも、なお労基法適用除外の例外の問題を免れない。もちろん、ここで例外というのは、事業の種類や業務の態様によって八時間労働制が変形をうける場合をふくまない。それらは、八時間労働制の変型として後に取り扱う。

基本型における例外というのは、「事業の種類にかかわらず監督若しくは管理の地位にある者又は機密の事務を取り扱う者」（労基法四一条二号）であり、これらの者については労基法第四章および第六章、すなわち「労働時間、休憩、休日及び年次有給休暇」と「女子及び年少者」の章のうちの労働時間、休憩および休日に関する規定は適用されない。事業経営の管理的立場にある者またはこれと一体をなす者は、企業経営の必要上、労働時間、休憩および休日に関する規定の規整をこえて活動しなければならないことからくるものであり、ＩＬＯ条約中においても例外がみとめられている（一号条約二条(a)）。「監督若しくは管理の地位にある者」とは、「一般的には局長、部長、工場長等労働条件の決定その他労務管理について経営者と一体的な立場にあるものの意であるが、名称にとらわれず出社退社等について厳格な制限を受けない者について実態的に判断すべきもの」とされている（昭二二・九・一三発基一七）。その地位に対して何らかの特別給与が支払われていることが多いであろうが、いわゆる職務手当の有無だけで判断することはできない。たとえば、職長・係長などについても職長手当・係長手当などが支給されることがあるが、これらについては、労働時間・休憩・休日についての法規整を除外しなければならないような業務の実態を伴わないのが通常であろう。要するに、業務の態容からして自己の勤務について自由裁量の権限を持ち、出社・退社について厳格な制限を加えることが妥当でない場合の例外であり、従業員としての資格の上下による例外ではなく、職務についての例外である。したがって、支店においては「監督若しくは管理の地位」にあった者でも、本店に転勤して職務が変更されることにより監督・管理者でなくなることもある。労働時間などに関する制限の適用を除外することが妥当かどうかの観点から判断すべきものであるから、いわゆる非組合員の範囲を判断する基準としての「使用者の利益を代表する者」（労組法二条一号。なお、公労法四条二号参照）とも異った概念である。

「機密の事務を取り扱う者」についても同様である。非組合員（労組法二条一号）の範囲を定める場合には、「機密の事項」に接することによって「職務上の義務と責任とが当該労働組合の組合員としての誠意と責任とに直接にてい触する」ことが問題になるが、労基法第四一条第二号の場合には、事務の「機密性」が問題なのではなく、「秘書その他職務が経営者又は監督若しくは管理の地位にある者の活動と一体不可分であって出社退社等について厳格な制限を受けない」（昭二二・九・一三発基一七）ことによって、監督・管理の地位にある者と同様に、労働時間の一般的制限に服することが妥当でないことによるものである。

機密の事務を取り扱う者

労働時間と管理職手当

このような監督・管理の地位にある者については、管理職手当あるいは職務手当とよばれる特別手当が支給されているのが通常であるが、職務手当のうちには、職務の責任に応じて支給されるものもあるから、職務手当が支給されているからといって直ちに労働時間の制限の適用が除外されるわけではないことは前述したとおりである。ただ、公共企業体などの管理職手当は、労働時間の制限の適用が除外されるために基準外労働に対して基準外賃金（労基法三七条）を支払わずに、それに見合う管理職手当を支給するという意味をもっているので、管理職手当が支給されている者は原則として監督・管理の地位にある者と解される。もちろん、こういったからといって、管理職手当が、その者が基準外労働によって得るであろう基準外賃金の額と現実にはつねに見合うということにはならず、従来基準外労働を多く行っていた労働者は監督・管理の地位に就くことによって基準外賃金を失い、より少額の管理職手当のみをうけることになって収入が減少することがあり得る。まして、前述の係長手当などのように基準外賃金の支払をうけながら職務手当を支給されていた者については、監督・管理の地位に就いて労働時間の制限規定の適用を排除されることにより実質的収入が激減することがあり得る。

深夜業を除き労働時間の規定はすべて適用されない

なお、監督・管理の地位にある者について適用が除外されるのは労基法第三七条の割増賃金の規定のみでなく、労働時間、休憩および休日に関する規定のすべてであり、第三二条の八時間労働の規定も適用を排除されるから、時間外労働については賃金の割増分（労基法三七条によれば二割五分）が支払われないだけでなく、基準外労働時間に対応する基本賃金も支払われないことになる。いわば、これらの者に対しては、賃金は一日八時間を単位として定められているのではなく、不定量の労働に対して定められていることになる。しかし、厳密にいえば、就業規則などにおいて単に一日の労働時間を八時間とするとのみ定められているときは、割増賃金を支払わない旨を定めていても、超過分に対する基本賃金は監督・管理の地位にある者に対しても就業規則上は支払わなければならないことになり（支払わなくとも労基法違反とならないというに止まる）、これをも排除しようとするときは、その旨をも併せて規定しておく必要がある。また、適用が排除されるのは「労働時間、休憩及び休日」に関する規定だけであるから、深夜業に対する割増賃金は支払わなければならないが、その実態については不明である。

II　基本型の展開

右に述べたような八時間労働制の基本型も、それが具体的に展開されて行く過程においては、さまざまな問題を生じる。これは、業種・業態の特殊性による八時間労働制の変型ではなく、いわば八時間労働制の日常的展開過程における具体的な問題である。

一　事業場外労働

事業場外の労働時間は算定困難　労働が常時事業場内で行われるときは、労働時間の計算についても、さして問題はない。坑内労働について坑口から坑口までの時間を休憩時間をふくめて労働時間とみなし、一せい休憩および休憩時間の自由利用の原則の適用が排除されること（労基法三八条二項）と、事業場を異にする場合には各事業場の労働時間が通算されること（同条一項）だけである。

これに反して、労働時間の全部または一部を事業場外で労働する場合には、労働時間の計算について複雑な問題を生じる。

事業場外で労働時間の全部または一部を労働する場合とは、雑誌・新聞・放送の取材記者、保険会社の外交員などのように、業務の性質上事業場外で労働することが本務である者はもとより(昭二二・九・一三基発一七)、平常は事業場内で勤務している労働者が出張する場合をもふくむ。これらの者の労働時間の計算が問題となるのは、労働が事業場外で行われるために実際の労働時間が算定し難いことと、これらの者は通常は所定労働時間を超えて労働する場合が多いことが予想されることによる。したがって、業務の形としては事業場外で労働する場合であっても、何らかの方法によって労働時間の算定が明確なものは問題はない。たとえば、列車・バスの乗務員などは厳密な意味では事業場外で労働することになるが、定期路線の運行については労働時間の計算にはさして困難はないとしても、観光貸切バスなどの場合には、実際の労働時間の計算が困難な場合がある。また、保険会社の外勤社員についても、朝定時に出勤して点呼をうけ、夕方定時に帰社して報告するというような場合には、それによって労働時間を計算すれば足りる。

割増賃金の打切制は違法

このように、事業場外で労働するために労働時間の算定が困難なものについて、いわゆる時間外割増賃金の打切制をとっている例がある。実際に労働した時間の多少にかかわらず、月定額の時間外割増賃金を支給し、実際の労働時間との間の不均衡を長期的に是正しようとするものである。しかし、労基法によれば（三七条）、時間外割増賃金は労働させた時間またはその日について支払わなければならないのであり、現実の労働時間に対するものよりも支払われる定額割増賃金が多いときはいいとしても、少いときは明らかに労基法違反となる。労基法施行規則第二二条は、この点を解決するために、つぎのように規定している。

「労働者が出張、記事の取材その他事業場外で労働時間の全部又は一部を労働する場合で、労働時間を算定し難い場合には、通常の労働時間労働したものとみなす。但し、使用者が予め別段の指示をした場合は、この限りでない。」

これによると、実際の労働時間の如何にかかわらず、事業場外で労働した場合には、使用者がとくに指示しないかぎり通常の労働時間労働したものとみなされるのであるから、現実に通常の労働時間を超えて労働したことが推測されるにもかかわらず、労働時間の算定が困難であるというだけで通常の労働時間労働したものとみなされることになり、しかも法の規定によらずに施行規則によってこのような定めをすることについては、疑問がなげかけられている（有泉亨・労働基準法二八二頁）。ことに、前述の割増賃金の打切制などが現実に生じているところからも推測されるように、事業場外で労働する場合には、所定労働時間を超えて労働することの方が多いであろうことが考えられるから、なおさら、このような規定の合理性には疑問がある。すなわち、この規定は労働時間算定の困難性を技術的に解決するだけのものであって、労働時間の実態についての配慮に欠けているからである。このような不合理を解決するためには、通常の労働時間を超えて労働するのが常態であり、かつ超過労働時間がある程度一定している場合には、なるべく使用者の黙示の指示があったものと解するのが一つの方法であろう。そして、それでもなお労働時間の算定が困難な場合には、施行規則第二二条によって通常時間労働したものとみなした上で、他の事業場内労働との不均衡を是正するために、特殊勤務手当などを考慮することも考えられる。現実には、後者の方法によっている例が多いようである。

出張も事業場外労働の一種

出張も事業場外労働の一種であるから、労働時間の算定については、施行規則第二二条によって、出張期間中は通常の労働時間労働したものとみなされる。「通常の労働時間」ということは、「通常の労働日において通常の労働時間」ということである。

出張中の休日

出張期間中に休日がふくまれているときは、休日には労働しなかったものとみなされる。「出張期間中に休日があるときは、出張先において休憩するものとする」と定めた就業規則例があるが、当然のことを念のために定めたものであろう。また、「出張者の休日は、その所属個所の休日による」ということも当然である。ただ、所属個所の休日と出張先の休日とが異る場合には問題がある。休日は所属個所の休日によるのであるから、所属個所の休日に出張先が休日でないために勤務したときは、当然に休日出勤となる。しかし、「出張者が出張中に休日出勤した場合でも出張先の休日に勤務しなかった場合は、休日を振り替えたものとみなす」とすることも差支えはないであろう。

このように、出張期間中の休日の取扱いについては、一応は労基法施行規則第二二条によって、使用者がとくに指示しないかぎり休日として休憩したものとして処理することができよう。しかし、実際問題としては、これだけですべてが解決されるわけではない。休憩時間についても自由利用の原則（労基法三四条三項）があるように、休日についても労働者が自由に利用し得るのが原則であり、単に労働をせずに休息したというだけで休日の目的が完全に達せられたというわけではない。少くとも出張期間中の休日は、（現在の交通事情の下では）出張先をはなれることはできず、家庭にいることができないなどの拘束をうけることは否定できない。現行法の下では、この点についての考慮が全くなされておらず、また就業規則例などにおいても、この点を考慮したものは見当らない。解釈例規は、「休日労働すべきことを指示せられた場合の外は」「出張先において休業した事が明瞭な場合は法第三五条の休日を与えたものとして取扱う」（昭二三・五・二二）旨のほか、「一般官公署以外において日曜日の出張は代休を与えるべきか」との照会に対する回答として、「一般に出張の場合休日を振替えるべきことを就業規則に規定するか、又は第三六条の協定によるよう指導されたい」(昭二三・三・一七基発四六一)と、出張中の休日について特別の配慮をしていたのであるが、昭和三三年になって見解をあらため、「出張中の休日はその日に旅行する等の場合であっても、旅行中における物品の監視等別段の指示がある場合の外は、休日労働として取扱わなくても差支えない」ものとした(昭二三・三・一七基発四六一、昭三三・二・一三基発九〇)。しかし、後述するような週休特定の要求や、前述したように労働時間短縮の問題が余暇利用の角度からも取り上げられてきていることなどを考慮すれば、解釈例規の右のような態度は時代逆行であり、出張中の休日を労働したものとして労働時間に算入することは妥当とはいえないとしても、休日の自由利用を制限されることについて何らかの措置を考慮すべき要請が現実化するのは、さほど遠い将来ではないであろう。なお、旅費、宿泊費、日当は、出張することによって現実に要する費用の実費弁償であるから、出張期間中は休日といえども支払わなければならないことはいうまでもない。出張期間中は通常の賃金を支払わずに日当を加味した賃金として出張手当を支払うような制度をとっている場合でも、休日には、日当に相当する部分は支払わなければならず、その区別が明らかでないときは、そのような制度そのものの合理性が疑わしいのであり、出張手当の全額を支払うべきであろう。

出張の往復所要時間

つぎに、出張について、往復所要時間を労働時間に算入すべきかどうかという問題がある。まず、解釈例規（昭二三・三・一七基発四六一、昭三三・二・一三基発九〇）も述べているように、車中で物品の看視をするように指示された場合、出張先の業務についての準備あるいは報告書の作成を車中で行うよう指示された場合、現金・書状を送達する業務のように往復することそのものが業務である場合などは、労働日たると休日たるとを問わず、すべて労働時間に算入される（有泉・前掲書二八三頁、外尾健一「労働時間」労働法大系5 一二〇頁）。このような場合は通常は時間の算定が明らかであるから、施行規則第二二条によらずに実際の所要時間によって計算されるが、文書の作成のために車中時間のすべてを要するわけではないときには、通常の時間労働したものと解することもできよう。

しかし、単に往復のみに要する時間を労働時間として算入すべきかどうかについては、大いに争いがある。これを労働時間とすれば、「女子に夜間の旅行を必要とする出張は命じられないことになる。また、変形八時間の定めをしておかないと、時間外協定がないかぎり、遠距離の出張を命ずることができなくなる」（有泉亨「労働時間」経営法学全集16 三三頁）。これに反して、出張の往復のみに要する時間をすべて労働時間にあたらないものとすれば、現実にその労働者が出張先との往復という目的のために使用者によって拘束されているという事実に対して何ら考慮が払われないことになる。ことに解釈例規のように休日に旅行する場合でも休日労働として取り扱わないということになれば、「旅行するための休日」ということになり、「使用者のために」現実に労働が行われていないという点をあまりに強調しすぎることになる。就業規則のうちには、「出張は、あらかじめ指示された日程にしたがって行い、みだりに順路を変更してはならない。やむをえない理由で日程を変更しようとするときは、あらかじめ所属長の許可を受けるものとする。ただし、あらかじめ許可を受けるいとまがない場合には、事後すみやかに承認をうけなければならない。出張中は、所属長に対し、つねに居所および行動を明らかにしておかなければならない」というように、出張中の経路・日程・行動に相当の制約を加えているものもあり、このような場合にも、「出張期間中は、所定時間を就業したものとみなす」というだけで処理していいかどうかは、かなり疑わしい。また、就業時間中に出発して終業時間後に目的地に到着するような指示をうけた場合に、等しく使用者の指示にしたがって旅行している時間でありながら、就業時間中の旅行時間は労働時間、就業時間外の旅行時間は労働時間にあらずとすることは、取扱いの上で一貫性を欠くとも考えられる。もっとも、解釈例規が問題としているのは、労基法第三二条の労働時間として算入すべきかどうかということのみであって、労働契約上賃金支払の対象となるかどうかとは別問題であり、多くは出張のための旅費・日当などで処理されているだろう、との見解もある（有泉亨・労働基準法二八三頁、同「労働時間」前掲三三頁）。この見解を発展させると、現実に労働をしていないという点に着目して、出張の往復に要する時間は出勤に要する時間あるいは臨時の転勤の際の赴任のための時間と同じ性質のものと解し、原則として労基法上の労働時間に算入せず（有泉・労働基準法二八三頁、同「労働時間」前掲三三頁、外尾・前掲一二〇頁）、ただ、所定就業時間内の旅行時間については、労働時間を「労働者が使用者の指揮にしたがって労働を提供する時間」と解することとの関連において、とくに労働時間に算入することとなる。また、労基法上の労働時間に算入しない部分についても労働契約上なんらかの配慮をすることになろう。しかし、現実には、就業規則などの規定は解釈例規に相当強く影響され、解釈例規において「労基法上の労働時間」に算入しないとした時間について賃金支払の対象とする例がそれほど多いとは考えられず、「宿泊を要する出張において出張の往路・帰路または出張先間の移動中における休日は、休日勤務としない。ただし、物品の監視等別段の指示がある場合は、その日は、所定就業時間について、休日勤務したものとする」のように、解釈例規の趣旨をそのまま引用し、労基法上の労働時間を労働上賃金支払の対象となる就業時間と同視しているのが通例である。労基法上の労働時間の解釈としては、現在のところ解釈例規にしたがうとしても、出張中の休日について述べたように、労働契約上出張の往復に要する時間について何らかの考慮を払う必要性は増大しつつあるのではなかろうか。

二　労働の範囲

事業場外労働と関連して、労働者が使用者の指揮監督の下に提供する労働の種類　範囲についても問題がある。労働者が労働を提供するのは、通常は労働契約に定められた一定の種類の業務であり、労働契約の範囲外の事項については労働者は使用者の指示にしたがう義務を負わない。たとえば、職務内容じたいについての教育もしくはこれと直接に密接な関連をもつ教育のように業務上必要のあるものについては、使用者から指示をうけた場合には労働者は受講する義務を負うが、それ以外の場合には講習をうける義務を負わず（札幌地裁岩見沢支部判昭二八・一・三一、三井美唄除名無効本訴事件）、講習の課目として行われるものであっても宗教的行事に参加することを拒むことができ（名古屋地裁判昭三八・四・二六、三重宇部生コン懲戒解雇事件）、そのことを理由として懲戒処分をうけることはないが、右のような労働契約上の義務に属しない事項であっても現実に労働者が使用者の指示にしたがった場合には、その指示にしたがって講習に出席し作業に従事した時間は労働時間に算入される。技能研修のための講習会、労働教育、安全衛生教育などで労働者の出席が義務づけられている場合はもとより、業務

義務のない事項も使用者の指示によれば労働時間

に関係のない慰安会、運動会などについても、使用者の指示による場合あるいは出席が義務づけられている場合は、労働時間に算入される(昭三七・八・三〇基発二九八五)。ある調査によれば、社員の慰安旅行を土曜と日曜をかけて行う例がかなりあった。この場合に、参加が強制されれば労働時間に算入されよう。しかし、むしろ問題は、参加が自由であるときである。この場合には、日曜についてはともかく、土曜については特別休日ということになろうが、業務のために旅行に参加できずに会社に残留して就業した労働者については、平日労働の取扱いで足りるのか、休日労働として取り扱うべきか、ということである。もちろん、通常はこのような特別休日は労基法の週休以外に与えられるであろうから、労基法上は問題とはならないであろうが、就業規則などで休日に労働した場合にはすべて割増賃金を支払うことになっているのであれば問題が生じる。結局、この場合の土曜日の取扱いが慰安旅行に参加すれば休日となるというあいまいなものであることが問題なのであり、慰安旅行の参加が法的には強制されない「慰安」であるが全員参加が「建前」であるという特殊事情によるものであろう。休日として、残留して社の業務を扱う者につき休日労働として取り扱うか、平日として、旅行参加者には特別休暇を与えたものとし、残留者には慰労金を支給する、などの便法を講ずるしかあるまい。

三　時間外労働

通常の業務形態においても、業務の都合その他の理由によって基準労働時間を超えて労働させる必要が生じる。労基法上時間外労働が認められているのは、非常災害の場合と三六協定による場合とである。

非常災害の場合は労働時間の延長ができる

災害その他避けることのできない事由によって臨時の必要がある場合には、その必要の限度において労働時間を延長することができる（労基法三三条一項）。労基法第三三条第一項によって労働時間を延長することができるのは、天災、地変、事変その他の不可抗力的な事故、いわゆる非常災害その他避けることのできない事由によって臨時に必要を生じた場合であり、かつ、その必要な限度においてのみである。業務運営上通常予想することができず、後述の三六協定によることが困難な場合をいうのであり、単なる業務の繁忙その他の経営上の必要の場合はふくまれない。しかし、現実に災害が発生していることまでは必要でなく、暴風雨のために停電事故のおそれがあるとか、増水のために堤防決潰のおそれがある場合のように、災害発生が客観的に予見される場合もふくむ（昭三三・二・一三基発九〇）。問題となるのは争議行為との関係である。市内電話回線が不通になり組合が超勤拒否闘争中であったために労基法第三三条によって時間外労働を行わせること（昭三四・一・二三、三三基収八四四〇）、鉄道駅で朝出勤職員の半数が組合によって就業を阻止され運転関係業務の混乱が予想される場合に非番職員を時間外労働させること（昭三四・五・二八基収三一〇三）は、差支えないものとするとの見解が示されているが、いずれも業務の公共性によるものであり、争議行為によって業務が停止するおそれがあるというだけでは労基法第三三条により得ないことはいうまでもない。

時間外労働の許可と代休命令　非常災害の場合に時間外労働をさせるには、使用者は労働基準監督署長の許可をうけなければならない。ただし、事態急迫のために許可をうける暇がない場合は、事後に遅滞なく届け出なければならない。使用者が主観的に暇がないと判断しただけでは足りず、客観的に事前の許可申請を期待できない程度の事態緊迫を要する。事後届出の場合に労働基準監督署長が労働時間の延長を不適当と認めたときは、その後にその時間に相当する休憩または休日を与えるべきことを命じることができる（労基法三三条二項）。いわゆる代休命令（代休付与命令）である。労働時間延長の適・不適は、単に延長の理由についてだけでなく、必要な限度についても判断される。

割増賃金　非常災害の場合の時間外労働についても割増賃金（通常賃金の二割五分）および深夜業の割増賃金（同上）を支払わなければならない。深夜とは午後一〇時から午前五時まで（労働大臣が定める地域では午後一一時から午前六時まで）である（労基法三七条一項）。代休命令の有無は関係ない。

また、代休命令には休憩の時間が表示されるが、代休命令によって付与された休憩時間を有給とするか無給とするかは法には規定がない。

公務のための時間外労働　非現業の官公署に従事する官吏・公吏その他の公務員については、公務のために臨時の必要があるときには労働時間を延長することができる（労基法三三条三項）。公務のために臨時の必要があれば足りるのであり、災害その他避けることのできない事由は必要でなく、行政官庁への許可も届出も要せず、代休命令の制度もない。しかし、割増賃金は支払わなければならない。

三六協定によっても時間外労働ができる　非常災害の場合でなく、業務の運営の必要上労働時間を延長する場合には、労基法第三六条によって書面による協定をし、労働基準監督署長に届け出なければならない。書面による協定は、事業場に労働者の過半数で組織する労働組合がある場合にはその労働組合と使用者との間で行う。労働者の過半数で組織する労働組合がない場合には、労働者の過半数を代表する者との間で協定する。この場合に、労働者の過半数とは何を基準とするかが問題となる。時間外労働を行わせるについて労働者の意見を尊重するという趣旨からすれば、時間外労働の対象となる労働者の過半数をいうものと解するのが本すじであって、労基法第四一条第二号によって労働時間の制限に関する規定の適用を除外される者は、過半数の算定の基礎から除外すべきものではないかと考えられる。しかし、解釈例規はこの点について見解を示しておらず、実際上の取扱いとしては労働基準監督署では、労基法第四一条第二号該当者をもふくめて過半数を計算しているようである（日本労働協会就業規則研究会の昭和四一年一月一二日のヒヤリングによる）。したがって、たとえば一企業に二つの組合があり、いずれの組合も事業場の労働者の過半数を占めるにいたっていないときに、一方の労働組合が時間外労働協定に反対しても、部課長などが加わって他方の労働組合の組合員とともに事業場の労働者の過半数を占め、その代表者と使用者との間に三六協定を締結すれば、一方の労働組合が反対しても、使用者は、反対している労働組合の組合員をふくめた全労働者について時間外労働を行わせることができることになる。

また、「代表者」の資格についても法は別段の規定をおいていない。実際上は、使用者と労働者の代表者とが同姓である場合などには労働基準監督署で一応のチェックをしているようであるが、それほど目立った現象がなければ、社長とその女婿である工場長とが協定して届け出てもそのままパスするということになりかねない。

協定の内容

三六協定による時間外労働は、書面による協定をし、労働基準監督署長に届け出るだけで足りる。届出には、業務の種類、労働者員数（男女別）、所定労働時間、八時間を超える延長時間、延長の場合における始業・終業の時刻および休憩時間・期間を記載することになっている（労基法様式九号の二）が、労働時間延長の限度、休憩時間については法は何も規定していない。したがって理論的にいえば、三六協定の作成・届出さえすれば、届出の限度内において無制限に労働時間を延長することができ、また休憩時間についても、八時間を超える場合に一時間の休憩を与えさえすれば、どれほど労働時間を延長してもそれに相応する休憩時間を与える必要はないということになる。労働白書によれば、昭和三九年の総実労働時間は一九五・七時間で前年比〇・三％の減少であって昭和三六年以来の減少の傾向を維持しているが、所定外労働時間は一八・六時間とかえって前年比一・二％の増加を示し、所定内労働時間の減少と所定外労働時間の増加とが平行するという皮肉な統計を示している。しかし、労働時間の延長は決して無制限に行われているわけではなく、中労委調査（前掲）によれば製造業二四一社中二〇七社が残業規制を行っている。さらに規制の内容を同じく製造業についてみると、つぎのとおりである。

一日あたりの残業規制四四社のうち

二時間以内	四
二時間から四時間	一三
四時間から六時間	八

六時間から八時間	一四
八時間以上	五

一月あたりの残業規制八四社のうち

二〇時間以内	五
二〇時間から四〇時間	二六
四〇時間から五〇時間	二五
五〇時間から六〇時間	六
六〇時間から七〇時間	九
七〇時間以上	五
その他	八

つぎに、所定外労働時間中の休憩時間をみると、つぎのとおりである。

製造業一八一社のうち

一時間につき一〇分	一七
二時間につき一五分	六九
時間数に関係なく一五分	二〇
時間数により段階的に規定	一二

基準法どおり　五
食事時間　七

これによってみると、わが国の時間外労働は決して少いとはいえず、また、時間外労働に対する休憩時間も十分なものとはいえない。しかし、そこにおのずから一定の制約があることはみのがし得ない。それは、社会的水準と労働者の肉体的限界とからくるものであろう。しかし、ともかく、労基法じたいが無制約な状態に放置したものが現実の労働関係において制約されているのである。たとえば、ある就業規則は、つぎのような規定をおいている。

「時間外勤務が引き続き八時間以上に及んだときは、一週間以内に代休を与えることができる。時間外勤務における休憩は、勤務時間二時間を超えるごとに二時間に対して一五分の割合で勤務の中途で与える。」

不完全ながらも、一日の労働時間は八時間の範囲内とする、一六時間以上の労働は二日分の労働と考えるとの原型が形成されかかっているといってもいいであろう。

三六協定と割増賃金

三六協定によって時間外労働をさせる場合にも、二割五分以上の割増賃金を支払わなければならない。製造業のみについてみると、現実には、二四〇社のうち割増賃金率二割五分とするもの一八四、二割五分以上三割とするもの一六、三割以上二、その他三八であって、大部分が労基法どおりである。他方において、労基法によれば、実働八時間を超える時間外労働に対して割増賃金を支払わなければならないのであって、就業規則所定の労働時間を超える場合でも八時間を超えない部分については割増賃金を支払わなくともよいのであるが、実際には、所定労働時間八時間未満の会社二二二（製造業）のうち、所定時間外労働を時間外手当支給の対象とするもの二一八、対象とするが率を低くしているもの一、対象としないものの三であって、圧倒的多数が時間外割増賃金を労基法第三二条所定の八時間ではなく当該企業における所定労働時間を基準としている。

三六協定締結の単位　三六協定の実務上の取扱いについては問題が多い。まず、協定は事業場ごとに締結されなければならない。しかし、そのために各事業場ごとに労働組合が組織されている必要はない。たとえば、企業別あるいは地域別に組織されている労働組合が数事業場にわたって組合員を有している場合でも、ある事業場でその組合の組合員が過半数をしめていれば、その労働組合が協定締結の当事者となる。その組合の当該事業場における支部または分会が締結の当事者となることはもちろん差支えないが、組合の本部が直接にその事業場における締結当事者となっても差支えない。したがって、ある事業場である組合の組合員が労働者の過半数をしめる場合に、その事業場にその組合の単位組織がないからといって労働者の過半数を代表する者と協定を締結することはできず、その組合の上部機関との間に協定をしなければならない（昭三六・九・七基収一一三九二）。

三六協定の効果

三六協定が締結され届け出られなければ、使用者は労働者を時間外労働させることはできず、使用者が時間外労働を命じても労働者はその命令にしたがう必要はない。従来事実上協定なしに時間外労働が行われてきた場合でも同様である。しかし、三六協定の締結・届出がなされていれば、それだけで当然に使用者が労働者に対して時間外労働を命じることができ、労働者が命令にしたがう義務を負うことになるというわけでもない。三六協定の締結・届出は、その限度内であれば使用者が時間外労働をさせても労基法違反とはならないという免責的効果、いいかえれば、労働時間制限の解除の効果を生じるにすぎない。協定が作成され届け出られた場合でも実際に時間外労働をさせるためには、就業規則、労働協約などにおいて、または個別的に労働契約において時間外労働を定めなければ、労働者は時間外・休日労働を行う契約上の義務を有しない。また三六協定が締結されたからといって、労働者または労働組合が当然に労働協約または労働契約において時間外・休日労働について合意しなければならないわけではない。

協約と協定

この点に関連して、三六協定も労使の合意によって成立するものである以上、それが使用者と労働組合との間で締結される場合には、それは三六協定であると同時に労働協約としての効力をもつものではないかとの疑問を生じる。肯定説は、労働者の多数意思が希望したという点では協定と協約とは同一であるという（堀秀夫・改正労働基準法二一一頁）。これに対し否定説は、三六協定は労働協約のように労働条件の最低基準を定めるものではなく、法の定める労働時間の強行法的制限をはずすものであり、これに協約としての効力をみとめることは労働組合が組合員たる各個の労働者の意思に反して時間外・休日労働を強制することになるという（吾妻光俊編・註解労働基準法三八一頁、林迪広「労基法上の協定と労働協約」後藤還暦・労働協約二七四頁）。また、各当事者が労働協約として三六協定を締結する意思が明らかであり残業手当などの具体的な労働条件にふれている場合には労働協約としての効力をみとめうるとの見解もある（西村信雄ほか・労働基準法論一八六頁）。おもうに、三六協定そのものに労働協約としての性質・効力をみとめることができないのは当然のことであるが、問題は、労働協約において時間外・休日労働に関する事項を定めた場合に右協約をもって本条の協定を兼ねるものとして、あらためて三六協定を締結することなく右協約を届け出ることができるか、あるいは、三六協定として締結されたものが同時に労組法第一四条に定める労働協約の要件をそなえている場合に、これに労働協約としての性質・効力をみとめることができるか、ということである。同一の協定が二つの性格を兼ねることは可能であるから、労働組合が使用者との間に時間外・休日労働に関する労働条件を労働協約として協定したときは、その労働協約が同時に労基法第三六条の要件をそなえていれば三六協定としての効果を生じる。また、三六協定として締結されたものが同時に労組法第一四条の労働協約としての要件をそなえていれば、これに労働協約としての性質・効力をみとめることができる。しかし、後者の場合には、その労働協約としての効果は三六協定としての効果の発生を期待する点に限定されるのであり、そのことによって直ちに法律上各個の労働者にその協定に基づいて労働することまでを義務づけるものとしての労働条件の基準を設定するものではない。したがって、協定の有効期間、解約などについては労働協約としての規整をうける（労組法一五条）が、労働条件の基準に関する規整（労組法一六条・一七条・一八条）はうけないと解すべきであろう（石井照久・労働法概論三〇八頁。同旨、沼田稲次郎・労働法論上三七六頁）。

三六協定と就業規則など　就業規則、労働協約などにおいて時間外・休日労働に関し規定をするには、三六協定と異り、施行規則第一六条に規定するように具体的に定める必要はない。多くの就業規則例においては、「とくに必要がある場合は法令の定める範囲において従業員に早出、残業、呼出勤務または休日出勤をさせる」のように抽象的に定めるものが多い。あるいは、「労働基準法第三六条に基づき業務上の都合により従業員に時間外または休日労働をさせることがある。／前項の場合、正当な理由なくして時間外および休日労働を拒否することができない」、と義務づけを強調したり、時間外労働と自発的残業とを区別して賃金支払義務の有無を明確にするために、「時間外・休日労働を命じられた者は、時間外・休日勤務票に必要事項を記入のうえ、所属長の認証を経て会社に届け出なければならない」と規定することもある。時間外労働の範囲についても、女子・年少者に関する労基法上の制限規定と同趣旨を労働協約や就業規則中に明記する場合、あるいは、「必要あるときは労働基準法により組合と協定する必要な範囲で時間外勤務を命じることができる」のように、具体的な内容を三六協定の定めるところにゆずっているものもある。いずれにせよ、就業規則、労働協約などにおいてこのような規定をおいても、三六協定の締結・届出が行われなければ時間外労働を行わせることはできないし、また時間外労働を行わせることができるのは三六協定において定める限度内においてである。また、労働協約の有効期間と三六協定の有効期間とが異って定められている場合は、労働協約の有効期間中であっても協定の期間が満了すれば三六協定は失効する。

なお、施行規則第一六条は、はじめその第二項において、「協定は、三箇月を超えてこれを定めてはならない」と規定していたが、その後、「労働協約による場合は一箇年を超えない範囲内の定をすることができる」との但書を附し（昭和二七年労働省令二三号）、さらに、「協定（労働協約による場合を除く）には、有効期間の定をするものとする」と改めた（昭和二九年労働省令一二号）。施行規則において協定に期間の制限を附することは法律に根拠がなく、権利を制限する結果となる疑があるとの理由によるものであるが、その妥当性は疑問である。

三六協定の例外

三六協定による時間外労働については例外がある。第一に、労基法第四一条各号に定めるものについては、労働時間の制限に関する規定の適用がないから、第三六条もはじめから適用の余地がない（九〇頁参照）。つぎに、坑内労働その他命令で定める健康上特に有害な業務については、労働時間の延長は一日について二時間を超えることができない（労基法三六条但書）。命令で定める健康上特に有害な業務については施行規則第一八条に規定があり、解釈例規において基準が示されている（昭二三・八・一二基発一一七八）。

三六協定と争議行為

三六協定について問題となるのは、争議行為との関係である。三六協定中に、「協定の有効期間中といえども組合の破棄通告により失効する」旨の附款を附することがある。このような場合には、その附款は有効であると解されている（昭二八・七・一四基収二八四三）から、この条項により破棄の通告がなされたときは協定は失効する。このような場合でなく、協定が期間満了によって失効した場合でも、使用者は労働組合に対して、新たな三六協定の締結を強制することはできない。したがって、企業の運営が時間外・休日労働をある程度常態として行われている場合には、三六協定締結の拒否という方法によって業務の正常な運営が阻害されることになる。ことに、三六協定を一箇月、一〇日間、一週間、極端な場合には一日毎という短期間を定めて締結する例、あるいは争議の接近にともなって三六協定締結期間を短縮する例も、稀ではない。

このように、労働組合が争議目的のために三六協定の締結を拒否した場合に、これを争議行為として評価すべきかどうかについては、争いがある。積極説は、「特定の事業場において時間外又は休日労働の行われることが常態であり、また、そういうことが行われることによってのみ当該事業場における業務の運営が経常、普通の状態にあると客観的に判断しうるような事情の存するときは……労働組合が当該協定の更新を拒否する行為は、争議行為にあたるといいうることになろう」（昭三二・九・九法制局一発二二）といい、あるいは、遵法闘争を争議行為と解する立場から、協定締結拒否がもっぱら他の争議目的のための使用者に対する圧迫的手段に利用された場合は争議行為と解すべきであるという（吾妻光俊編・註解労働基準法三九二頁）。しかし、三六協定の締結拒否は、遵法闘争の場合と異り、時間外・休日労働が三六協定の締結・届出なしに行われているという慣行的事実が問題となるのではなく、従来三六協定にしたがって正当に行われていた時間外・休日労働が協定の不存在という事態の発生によって要件を欠くにいたるのにすぎず、そのことによって事実上企業の運営に支障を来しても、争議行為ということはできない。三六協定による時間外・休日労働は経営の臨時の必要に応じることを目的とするものであって、その範囲が限定されていないだけに、労働組合が三六協定の締結に応じるかどうかも、その自由に委ねるべきであって、何ら制限すべきものではないと考えられるからである（同旨、有泉亨・労働基準法二三七頁、野村平爾・労働関係調整法一〇六頁など）。

四　深夜業

深夜業も時間外労働の一形態

深夜業とは、原則的には午後一〇時から午前五時までの間における労働をいうが、労働大臣が必要であるとみとめる場合にはその定める地域または期間について午後一一時から午前六時までとすることができる（労基法三七条・六二条二項、施行規則一九条一項・二〇条）。しかし、労働時間に対する法規整の観点からみれば、深夜業も時間外労働の一形態にすぎず、後述する女子・年少者に対する深夜業の制限を除けば、男子成年労働者については、深夜業に関して何らの制限はなく、ただ深夜業割増賃金の支払が規定されているにすぎない（労基法三七条一項、施行規則一九条・二〇条）。深夜業を行わせることができる時間の限度についても深夜業を行う事由についても全く自由である。ただ、一昼夜交替の勤務に就く者については夜間継続四時間以上の睡眠時間を与えるべきことが規定されているにすぎない（施行規則二六条二項）。したがって、労働時間を延長して深夜に及んだ場合の休憩時間についても労基法第三四条によればいいことになる。

後に検討する変形労働時間制や交替制作業などにおいては深夜業は基準内労働として行われることになるが、八時間労働制の基本型においては深夜業は時間外労働として行われることになるから、労基法の定める割増賃金は、時間外労働としての二割五分と深夜業としての二割五分との合計五割以上となる(施行規則二〇条)。また、その時間も三六協定において定める限度内に制限される。

前述したように、労基法の規定にかかわらず、時間外労働については就業規則や労働協約などにおいて残業規制をしている例は少くない。また、所定外労働時間中の休憩時間を定めている例も相当ある。しかし、深夜業について時間数や休憩時間をとくに定めている例はほとんどみあたらない。これは、残業時間規制によって事実上深夜業が規制されることになるためであろうか、あるいは、通常の八時間労働制をとっているときには深夜業を行わせることがまれであるためであろうか。

深夜業の割増賃金率

前掲中労委調査によると、製造業二四〇社のうち深夜業割増賃金率はつぎのようになっている。

二五%	一三四
二五・一%―三〇%	五三
三〇・一%―四九・九%	三三
五〇%以上	七
異率のもの	一三

すなわち、労基法の定める二五%とするものが最も多いが、それを上回る率を定めるものも少くない。これは、労基法の規定にかかわらず深夜業による苦痛の度合が次第に強く意識されてきていることを示す。そして、これはまた、つぎにみるような深夜業の観念の変化をも伴っている。

深夜業と交替制手当　ある会社では、一部の作業について二交替制を採用するにあたって、つぎのような制度をとっている。

通常勤務は午前八時から午後四時まで（休憩一時間をふくむ）であるが、二交替制勤務の場合はつぎのとおりとする。

	一班	二班
始業	午前六時三〇分	午後二時五分
終業	午後二時一五分	午後九時五〇分
休憩	午前七時四五分から一五分、午前一〇時から一〇分、午前一二時二〇分から二〇分	午後四時から一〇分、午後六時から二五分、午後八時二〇分から一〇分

そして、午前六時三〇分から午前八時までの間の勤務および午後四時から午後九時五〇分までの間の勤務については、交替制勤務手当として二四％の割増賃金を支払う。

元来、労働時間が八時間を超えないときには休憩時間を四五分とするということじたいが、二交替制を予想しての措置であったことは、すでにみた（五二頁）とおりであり、その意味では、右の二交替制においては、すべての労働は基準内労働として行われ、基準外労働という意味でも深夜業という意味でも割増賃金を支払う必要は全くない。それにもかかわらず、交替制勤務手当が支払われているのは、労基法の規定にかかわらず、通常勤務の所定労働時間外の午前八時以前および午後四時以後の労働が通常の労働ではないと考えられていることを示している。すなわち、ここでは深夜業の概念が、労基法所定の深夜業の概念を超えて、「通常の労働時間」外の労働にまで拡張されていることを暗示している。

割増賃金の割増　主として事務系統の職場においてみられる現象であるが、一定の時刻を超える労働時間の延長につき、通常の時間外労働に対する割増賃金のほかに、特別の手当を支給することがある。たとえば、所定の労働時間を超える労働時間については二割五分の割増賃金を支払うほか、午後八時を超えるときは二〇〇円の手当を支給するとか、午後八時までは割増賃金は二割五分、午後八時以降は割増賃金を五割とするなどである。このような特別の手当は、夜食代としての意味をもつこともあるが、通常予想される労働時間の延長を超える労働時間に対する特別手当の意味をもつこともある。ここでも、いわゆる深夜業の概念は、労基法の規定を超えて、通常予想される労働時間の延長を超える労働へと拡大されている。かくて、深夜業は、通常の労働時間制の場合には、例外的な現象として事実上制限される方向にむかい、深夜業の問題点は、もっぱら変形労働時間制、交替制および、これにともなう女子・年少者の問題へとしぼられることになる。

五　休日労働

代休の概念は統一されていない

休日労働の場合には、問題はやや複雑になる。まず明らかにしておかなければならないのは、労基法第三五条と第三三条・第三六条との関係である。労基法第三五条の規定にかかわらず、休日に労働者を労働させることができるのは、労基法第四一条の例外を除けば、第三三条および第三六条による場合である。この第三三条による場合にせよ、第三六条による場合にせよ（詳細は前述三参照）、休日に労働させた場合には、使用者は労基法第三七条によって二割五分以上の割増賃金を支払わなければならない。それでは、第三三条または第三六条によって休日に労働させた場合に、その休日に代る、いわゆる代休を与えなければならないものかどうか、という問題である。現実の就業規則においては、休日に労働させた場合に代休を与えることを定めている例は少くないからである。たとえば、つぎのような例がある（本多淳亮＝佐藤進・就業規則三三七頁による）。

〈例一〉「左の場合には、二週間以内に代休日を与える。

一　時間外勤務が引続き八時間をこえたとき

二　休日勤務が六時間をこえたとき」

〈例二〉「休日に労働させた場合は、本人の請求により一週間以内に代休を与える。」

〈例三〉「会社は、従業員の時間外勤務もしくは休日勤務が七時間以上になった場合、その翌日に代休を与える。

前項の規定にかかわらずやむをえず翌日も勤務させる場合は、一週間以内に代休を与える。

前項の代休を与えることができないときは、休日出勤の取扱いをする。」

〈例四〉「休日に勤務させる必要のある場合は、原則として事前に代休日を定めて行う。」

これらの規定を検討すると、代休の概念が必ずしも統一して使用されていないことに気がつく。労基法第三三条または第三六条によって休日に労働させた場合に「代休」を与えなければならないかどうかを問題にするためには、まず「代休」の概念を明らかにしなければならない。

代休には三つの意味がある

一般に代休とよばれているものには、つぎの三つがある。第一に、労基法第三三条第二項により労働基準監督署長の命じる代休である。使用者が災害その他避けることのできない事由により臨時の必要あるものとして、かつ事態急迫のため労働基準監督署長の許可をうけずに労働者を休日に労働させ、事後にそのことを届け出た場合に、労働基準監督署長がその休日労働を不適当とみとめたときは、その後にその時間に相当する休日を与えるべきことを命じることができる。時間外労働に関する代休命令について述べた（一〇六頁）と同様に、この代休命令によって与えた休日を有給とするかどうかは労基法に定めはなく、就業規則、労働協約などにおいて定める休日の取扱いによるが、代休命令によって休日を与えたからといって、すでに行わせた休日労働が平日労働になるわけではなく、それに対しては二割五分以上の割増賃金を支払わなければならない（労基法三七条一項）。したがって、代休命令による代休の場合は、すでに行われた休日労働に代る代休日が与えられる点において休日数が減少しないにもかかわらず、休日労働の割増賃金も支払わなければならないことになる。

第二に、ある休日に労働させ他の日を休日とするという場合に、振り替えられた休日を代休ということがある。実際の就業規則などにおいては、休日の振替えであるのか次に述べる意味での代休であるのかが不明確な場合もあるが、前掲〈例四〉の場合の代休は、休日振替えの場合の代休日をいうと解していいであろう。すなわち、この場合においては、休日が振り替えられ、本来の休日は労働日とされて、これに代って通常労働日が休日とされるのであるから、本来の休日に労働させても休日労働とはならず（昭二三・四・一九基収一三九七、昭三三・二・一三基発九〇）、休日労働の割増賃金を支払う必要はない（昭二二・一一・二七基発四〇一、昭三三・二・一三基発九〇）とともに、労働日に振り替えられた休日の代りの休日が定められるのであるから、休日の総日数には変りはないことになる。

第三に、いわゆる「代休」がある。休日の振替えを行わないままに休日に労働させた場合には、休日労働として割増賃金を支払わなければならないが、「休日に労働させ」る（労基法三三条・三六条）のであるから、その限度において休日が減少することになる（昭二三・四・九基収一〇〇四）。すなわち、この場合には、週休日は労基法第三三条または第三六条によって休日労働が行われ割増賃金が支払われることによって消滅するのであるから、休日振替えの場合と異って、これに代る休日を与える必要がないことになる。しかしながら、現実には、休日振替えの手続をとらずに休日労働に対して割増賃金を支払いながら代休日を与えることを規定している例は少くない。前掲＜例一＞は明らかにその例である。休日振替えの場合であれば、休日における労働時間数の多少にかかわらず、これに代る休日が与えられなければならないからである。

以下、混乱を避けるために、第一のものを「代休命令による休日」、第二のものを「振替休日」、第三のものを「代休」とよぶことにする。

休日労働に代休は必要ではない　理解を容易にするために、所定休日が労基法所定の週休日にかぎられている場合（前述一八八頁一のように、現実には休日は週休日のほかにも与えられる場合が多いのであるが）を想定してみよう。この場合に休日の振替えを行えば本来の休日が労働日に変更され、その日における労働に対しては通常の労働として、休日労働の割増賃金が支払われないのであるから、これに代る振替休日は労基法第三五条によって必ず与えなければならない。これに反して代休の場合は、本来の休日における労働に対して休日労働の割増賃金が支払われ、その限度において休日が減少するのであるから、これに代る休日を与えることは労基法が要求しているところではなく、現実に予定されていた休日に労働した疲労に対する慰労として与えられるものである。いいかえれば、この意味における代休は、労基法が割増賃金を支払うことによって休日に労働させることを許容しているにかかわらず、現実には、「休日には労働すべからず」あるいは「休日は減少すべからず」という意識に支えられた労基法の規定の修正であり、法の定める基準を上まわるものであって、その意味では、前述の「時間外勤務が引続き八時間以上に及んだときは一週間以内に代休を与えることができる」という制度と性格を同じくするものである。「祝日休または年末休に五時間以上労働したときは、特に業務に支障のない限り、願出により、当該勘定月内に代休を与える」旨の規定も、同様に考えることができよう。

この意味における代休は労基法の規定を上まわるものであるから、週休制の原則の適用をうけず、したがってまた、つぎに述べる休日振替えに関する諸制約の適用もない。まず、代休は必ずしも一週間以内に与えるものとはされておらず、二週間、一箇月あるいは六箇月以内に与えると規定されることもある。また、「必ず与える」ものとせずに「与えることができる」と規定されている例が少くない。さらに、代休の付与を本人の請求にかからしめていることもある（<例二>）。休日が無給である場合に労働者本人に選択の余地を与えるという趣旨であろうか。問題となるのは、就業規則などに定めてある「代休」が代休であるのか振替休日であるのかが明確でない場合である。たとえば前掲<例三>において、第一項の規定における翌日の代休は振替休日でないことは明らかであるが、翌日の代休が与えられないときはさらに一週間以内に代休が与えられる。そして、この代休が与えられないときは第一項の「翌日」の勤務が休日出勤とされるというのであるから、「一週間以内の代休」は「翌日の代休」の振替休日となる。しかし、休日を振り替えておいて後に振替休日が与えられない場合に本来の休日における労働を休日出勤の扱いとするというような不安定な条件つき取扱いが妥当なものであるかどうかは疑問である。むしろ、

<例三>においては、第一項の「休日勤務」そのものが休日労働として割増賃金が支払われるのであり、「翌日の代休」以降の代休が前述の第三の意味における代休であると解すべきであろう。このような混乱を避けるためには、労基法との関連において「代休」の定義を明らかにするか、「代休」と「振替休日」とを明確に区別するよう規定を整備することがのぞましい。

休日労働と割増賃金

休日に労働をさせることができるのは労基法第三三条および第三六条による場合であって、その手続は時間外労働について述べたところ（一〇五頁以下）と同様である。また、休日労働について二割五分以上の割増賃金を支払わなければならないのも時間外労働と同様である。休日において深夜労働させた場合には、休日労働としての二割五分と深夜業としての二割五分との合計五割以上の割増賃金を支払わなければならない。それでは、休日に所定労働時間を超えて労働させた場合はどうであろうか。八時間労働制の趣旨をつらぬくと、休日労働であっても所定労働時間内の労働と所定時間外の労働とでは質を異にするから、休日労働における超過労働時間については、休日労働賃金（一二割五分）の二割五分（〇・三一二五）増とならなければならないはずである。現在のところ、このような主張はみあたらないが、休日の時間外労働については休日労働の二割五分と時間外労働の二割五分との合計五割（深夜業の場合はさらに二割五分を加えた七割五分）以上の割増賃金を支払うべきであるとの説がある（松岡三郎・条解労働基準法四八〇頁、有泉亨・労働基準法三四三頁)。しかし、解釈例規は、休日労働も本来の所定労働時間外の労働であるという意味では労働時間延長と同じく時間外労働であるという立場から、休日労働の労働時間延長についても割増賃金は二割五分で足りるものとしている(昭二二基発三六六、昭三三基発九〇)。ただし、深夜業の割増賃金については、深夜業という特殊の時間的条件の下における労働に対するものであって時間外労働の割増賃金と性質を異にするものであり、休日労働における深夜業についても別に深夜割増賃金を支払うべきことについては異論はない。

休日振替え 業務の都合で休日に労働させようとするときは、三六協定によって労働させ、休日労働の割増賃金を支払えばいいのであるが、休日振替えの方法によることも可能である。この方法によれば、労働者にとっては休日数は減少せず、使用者にとっては割増賃金支払の負担を免れることになる。ただ、この場合には、振り替えた結果が労基法の週休制の原則に違反することは許されない。しかし、労基法第三五条はその第一項において週休制の原則を定めながら、第二項において四週間を通じて四日以上の休日を与える使用者については第一項の規定を適用しないこととし、しかも、この変形週休制は変形四八時間労働制と異って、そのための定めをすることも要求されていないのであるから、使用者がそのつど事業の必要に応じて休日の振替えを行っても、結果的に四週間を通じて四日以上の休日を与えれば足りることになる。この場合の四週間は暦週によるのではなく、就業規則などにおいて労働時間を定める単位としての週による。極端な場合には、二四日連続労働の後四日連続休日を与えることも可能である。ただ、週四八時間労働の制約があるから、通常は変形労働時間制を併用しなければならない。したがって、通常の場合においては、休日の振替えは個個の休日について例外的に行われることになろう。

休日特定の要求は強い

休日振替えについての労基法上の制限は、右に述べたように四週間以内四日以上の休日というだけである。病院などのように、業務の繁閑によって休日を特定できず、「従業員は月数回任意の日に病院側の了承を得て公休をとることを慣例として認められている」場合（東京地裁決昭二七・一二・一一、市原病院争議事件）もないわけではないが、通常は前述のように、休日は就業規則などにおいて特定されており、最近においては休日特定の要求はますます強いものとなっている。たとえば、作業の性質上、従来休日が特定されていなかった港湾荷役についても、全国港湾荷役事業者協議会と日本港湾労働組合連合会との間に昭和三九年九月二七日に左の協定書が締結された。

「日曜、祝日は休日とする。
ただし、事情やむを得ぬものについては就労することとし、細目については別途協定する。」

この、いわば港湾荷役事業にとって劃期的ともいうべき休日特定制は、港湾荷役事業の経営者と荷主団体との間の日曜・祝日における港湾荷役作業の割増料金に関する協定に支えられたものであり、その後全国的に拡大されている。

休日の特定と休日振替え　就業規則、労働協約などにおいて休日が特定されている場合には、労基法の規定のほかに、休日振替えは就業規則、労働協約などの規定によって制限をうけることはいうまでもない。

就業規則などにおいて休日が特定され、かつ振替えに関する規定が定められていない場合には、使用者は定められた休日を一方的に変更することはできず、休日の振替えにはそのつど労働者の同意を必要とし（昭二七・七・三一基収三七八六）、労働者の同意なく使用者が一方的に休日を振り替えても労働者は振り替えられた労働日に出勤する義務を負わず、もしこれに応じて出勤したときは（休日振替えに同意したものとみとめられないかぎり）、休日出勤として取り扱われる。実際の就業規則例においては、「業務その他の都合により休日を他の日と振り替えることがある」、「業務上必要があるときは、従業員の全部または一部に対して休日を変更することがある」のように抽象的に規定したり、「操業の都合によって、やむをえない場合は、労働組合と協定のうえ、前項の休日を変更することがある」、「休日を変更するときは、会社はあらかじめ組合に通知して、その意見を聴くものとする」のように労働組合との協議、意見聴取を条件としたり、期末決算、給料計算、製品の納期切迫など休日を振り替えるべき場合を特定している場合もある。

後から休日振替えはできない　休日の振替えをせずに休日に労働させてしまった後に代休を与えても休日を振り替えたことにはならず、休日労働の割増賃金の支払を免れない。もちろん、労基法第三七条によってその日の労働に対し割増賃金を支払うべきであるのは労基法第三五条による休日にかぎられるのであるから、右の労働させた休日が労基法第三五条の週休の範囲外のものであれば、労基法上は割増賃金を支払う必要はないが、就業規則などにおいて休日労働の割増賃金の支払が規定されているときは（八八頁参照）、労基法の規定にかかわらず、その定めるところによって割増賃金を支払わなければならない。

休日振替えはなるべく明確に　事前に休日の振替えをする場合でも、振替えによって労働者が事実上休日を利用できないような方法で振り替えることは法の趣旨に反するから、振替えはおそくとも振り替えられる労働日（休日を繰り上げる場合）または休日（休日を繰り下げる場合）の前日の終業時間前に労働者に知らされなければならない（有泉亨・労働基準法三〇〇頁）。解釈例規は、さらに休日の振替えについては、単に就業規則中に休日振替えに関する規定をおくだけでなく、休日振替えの具体的事由と振り替えるべき日とを規定することがのぞましいとの見解をとっている。たとえば、「休日は毎日曜日とする。但し当日勤務の必要がある場合は他の日と振り替えることができる」とせずに、「休日は毎日曜日とする。但し当日勤務の必要ある者の休日は翌日とする」とする方がのぞましいし（昭二三・七・五基発九六八）、屋外労働者についても休日をなるべく一定し、「雨天の場合には休日をその日に変更する旨を規定する」よう指導すべきものとしている（昭二三・四・二六基発六五一）。また、就業規則などにおいて休日の振替日が特定されていなくとも、休日の振替えを行うにあたっては代りに与えるべき休日を指定すべきである。休日を振り替える際に代休日を予め定めず代休日の前日に予告して振り替えても違法とはいえないであろうが、元来休日を振り替えることは休日を特定させることを前提としているものであるから、振替えによって不特定のものとするということは妥当を欠くものといえよう（有泉・前掲書三〇〇頁。なお昭二七・七・三一基収三七八六）。

六　宿直・日直

宿直は監視断続労働

労基法第四一条各号に定めるものについては、労基法第四章および第六章で定める労働時間、休憩および休日に関する規定はすべて適用されない。このうち、同条第一号（農林業、畜産・養蚕および水産の事業に従事する者）、第二号（監督・管理の地位にある者、機密の事務を取り扱う者）についてはさして問題はない（九〇頁参照）。しかし、第三号の監視または断続的労働に従事する者については若干問題がある。監視または断続的労働に従事する者のうちには、守衛、踏切番、炭坑の水番・ポンプ番、浴場火夫、着到捜検夫、救急車運転手、クラブ賄人のように、もっぱら監視または断続的業務に従事する者と、平常勤務に従事するかたわら監視または断続的業務に従事する者、たとえば宿・日直勤務者とがある。前者については、八時間労働制の「変型」として後に（一七〇頁および一九八頁）取り扱うこととして、ここでは基本型の「展開」として後者のみを取り上げることにする。

宿・日直勤務者の定義　労基法施行規則第二三条は、「使用者は、宿直又は日直の勤務で断続的な業務について、様式第一〇号によって、所轄労働基準監督署長の許可を受けた場合は、これに従事する労働者を、法第三二条の規定にかかわらず、使用することができる」と定めている。ここにいう「宿直又は日直勤務者」とは、かかる業務を本務とする者にかぎられず、他の業務を本務とする者が附随的に右業務を行う場合でも、それが過度の労働にならないかぎり、この者を「断続的労働に従事する者」と解する（東京高裁判昭三八・一〇・二二、福岡高裁判昭三八・一二・一〇）。そして、施行規則第二三条は「法第三二条の規定にかかわらず」とのみ規定しているが、同規則は労基法第四一条第三号に基づき規定されたものであるから、宿・日直勤務者についても、労基法第三四条・第三五条の規定は排除されることになる（前掲福岡高裁判。前掲東京高裁判は三二条のみ適用除外）。しかし、この点については、学説上争いがあり、反対説も多い。

宿・日直勤務者の労働時間と賃金　宿・日直勤務者については、労基法第四章および第六章の規定、したがって第三二条　第三四条　第三五条の規定は適用されないから、労働時間の制限はなく、八時間を超えて労働させあるいは休日に労働させても時間外労働、休日労働に該当することはなく、割増賃金を支払う必要はない。また、休憩時間を労基法第三四条にしたがって与える必要もない。しかし、適用が除外される「労働時間、休憩および休日に関する規定」には、深夜業に関する規定はふくまれないから、労基法第三七条によって深夜業の割増賃金は支払わなければならない（昭二二・九・一三発基一七、昭二三・一二・一五基発五〇二）。実際には宿・日直手当は割増賃金を区別せずに定額として定められるのが通例である（労働省労働基準局監督課監修・就業規則の作り方一〇八頁）。この場合、宿　日直手当は通常の賃金に代るものであって、このほかに賃金は支払われない。これは、つぎのような考え方によるものであろう。

「監視に従事する者」とは、原則として一定部署にあって監視するのを本来の業務とし、常態として身体の疲労または精神緊張の少い者のことであり、「断続的労働に従事する者」とは、本来業務が間歇的であるため労働時間中においても手待ちの時間が多く実作業時間が少い者をいう。両者とも通常の労働者と比較して労働密度が疎であり、労働時間・休憩・休日の規定を適用しなくても必ずしも労働者保護に欠けるところがないので、その適用を除外したものである。したがって、その賃金も基準内労働時間である一日八時間を単位とせず所要勤務時間を単位として定めることができ、休日に労働させても休日労働とはならないから、休日労働の割増賃金を支払う必要ない。ただ、深夜業の規定は排除されないから、監視または断続的労働が深夜におよぶときは、その時間に対して深夜業の割増賃金を支払わなければならない。その場合の割増賃金算定の基礎となる「通常の労働時間の賃金の計算額」とは、監視または断続的労働に対する賃金をいうから、一勤務に対する所定賃金を一勤務の所定労働時間で除したものになり、勤務時間に深夜業がふくまれているときは、割増分だけ賃金が加給されることになる。

宿・日直勤務についても、これは断続的な業務として取り扱われる（施行規則二三条）から、宿・日直勤務をもっぱら業務として行う労働者についての労働時間と賃金は右に述べたところによる。しかし、本来の業務のほかに附随して宿・日直勤務を行う者については若干趣きを異にする。まず、この場合においても労基法第四一条第三号、施行規則第二三条に該当することは前述のとおりであるから、宿・日直に関する勤務時間は一日八時間の制限をうけず、適宜所要時間を定めることができる。八時間を超える場合あるいは休日に日直させる場合であっても時間外労働、休日労働の割増賃金を支払う必要はない。また宿・日直勤務に対する賃金は、本来の業務が行われていないのであるから通常の賃金を支払う必要はなく、宿・日直勤務という特殊の勤務に対する賃金が支払われることになる。これが宿・日直手当である。通常の就業規則においては、この間の関係が明らかにされず、ただ、「宿直または日直勤務をした場合は、一回について五〇〇円の宿・日直手当を支給する」と定めるにとどまることが多いために、宿・日直勤務であっても出勤した場合には当然に通常の賃金が支払われ、そのほかに宿・日直手当が支払われるものと解する余地がないでもないが、労基法第四一条第三号、施行規則第二三条による宿・日直勤務は右に述べたように本来の通常業務と性質を異にするものであり、通常の賃金に関する規定を適用せずに特に定める宿・日直手当を支払うというのが宿・日直手当規定の趣旨と解すべきであろう。宿・日直は休日労働ではないから労基法第三五条によってこれに代る休日を与える必要はないが、代休を与えても宿・日直手当を支払わなければならない（昭二三・七・六基収二一七五、昭三三・二・一三基発九〇）。この点につき、「宿日直手当は、時間外・休日労働の割増賃金に相当する性格をもつので本法上の賃金であり、したがって代休を与えた場合も支払わなければならない」と説明する見解（労働基準局・労働基準法四二六頁）もあるが、むしろ、右のように質の異る労働に対する特殊の定め方をした賃金と解すべきであろう（ただし、税法上は実費弁償として取り扱われ、所得とされていない）。

したがって、宿・日直の後に無給の代休が与えられれば通常賃金と宿・日直手当の差額が減収となることもある。このように解すると、宿直業務につき深夜業の割増賃金を支払うときも、その算定の基礎となる「通常の労働時間の賃金」は本来の業務に対して支払わるべき通常の賃金ではなく宿直業務に対する賃金である。そして、前述のように宿・日直手当が定額でかつ同額に定められているということは、勤務中の用務の繁閑、夜間勤務と休日勤務との苦痛の度合などを考慮して宿直勤務と日直勤務との評価を異にした上で深夜業割増賃金を加算した結果同額となったものと解するほかない。

宿・日直勤務の許可条件　監視または断続的労働に対する労働時間規整は、右にみたようにきわめて例外的なものであり、これを無制限に認めるときは弊害を生じるおそれがある。まず、監視または断続的労働の概念を不当に拡張することによって労働時間制限の適用除外が濫用される危険性があるし、また、監視または断続的労働であることを理由として不当に長時間の労働を強いたりするおそれもある。そこで労基法第四一条および施行規則第二三条は、労働時間の規整に関する規定の適用を除外することにつき、労働基準監督署長の許可を要することとした。許可をうけないで労働させた場合には、その実質において監視または断続的労働であっても、労基法第三二条・第三四条・第三五条・第三七条の規定が適用され、それぞれの実態に応じて時間外労働、休日労働として取り扱われる。宿・日直勤務についても同様である。

宿・日直についての右の許可申請にあたっては、左の事項を記載しなければならない（様式第一〇号）。

一　事業の種類、名称、所在地

二　宿直については、総員数、一回の宿直員数、宿直勤務の開始および終了時刻、一定の宿直回数、一回の宿直手当、就寝設備、勤務の態様

三　日直については、総員数、一回の日直員数、日直勤務の開始および終了時刻、一定期間における一人の日直回数、一回の日直手当、勤務の態様

そして、解釈例規は、勤務の態様および宿・日直手当につき、つぎのような許可基準を定めている。

(一)　勤務の態様

(1)　規則二三条は常態として殆ど労働する必要のない勤務のみを認める趣旨であるから、その許可は概ね次の基準によって取り扱うこと。

(イ)　原則として通常の労働の継続は許可せず、定時的巡視、緊急の文書または電話の収受、非常事態発生の準備等を目的とするものに限って許可すること。

(ロ)　宿・日直共相当の手当の支給、宿直については相当の睡眠設備を条件として許可すること。（昭二二・九・一三基発一七）

(2) 定期的巡視、文書または電話の収受等のための通常の当直制の外に不測の事故発生に備える宿直制を行っている場合には、事故発生の際の作業については所定の手続により時間外労働として取り扱うべきである。（昭二四・四・一二基収一一三三）

(3) 宿直および日直勤務は、一定期間内における勤務回数が頻繁にわたるものについては許可を与えないようにされたい。原則として日直については月一回を、宿直については週一回を基準とすべきものである。しかし、事業所に勤務する一八歳以上のすべての男子に宿・日直させてもなお不足でありかつ勤務の労働密度が薄い場合には、宿・日直業務の実態に応じて週一回を超える宿直、月一回を超える日直についても許可して差支えない。（昭二三・一・一三基発三三、昭二三・四・一七基収一〇七七、昭二四・三・二二、二三基収九〇〇、昭二六・九・一九基収四四二二、昭三三・二・一三基発九〇、昭三四・三・二三基発一七三）

(4) 開店のまま通常の業務を処理することを予定するものについては、宿・日直勤務の許可をすべきではない。（昭三六・九・二〇基収三〇六八）

㈡ 宿・日直手当

(1) 一回の宿直手当（深夜割増賃金を含む）または一回の日直手当の最低額は、当該事業場において宿直または日直につくことの予定されている同種の労働者に対して支払われている賃金の一人一日平均額の三分の一とすること。但し、同一企業に属する数個の事業場について、一律の基準により宿直手当または日直手当の額を定める必要がある場合においては、当該事業場の属する企業の全事業場において宿直または日直につくことの予定されている同種の労働者に対して支払われている賃金の一人一日平均額の三分の一を下らない限り許可することができること。

(2) 宿・日直勤務の時間が通常の宿・日直時間に比して著しく短いものその他所轄労働基準監督署長が前項の基準によることが著しく困難または不適当と認めたものについては、その基準にかかわらず許可することができること。

(3) 月給者と日給者(休日に賃金の支給のない)について休日日直等の場合手当支給の基準について差別を設けるかどうかは当事者の自由である。(昭三〇・八・一基発四八五、昭二三・一・八基発七)

III 女子および年少者

女子・年少労働者は増えている

前節までに検討してきたのは、成年男子労働者のみをもって構成される事業場において、いわゆる常昼勤あるいは常日勤と称される八時間労働制の基本型が展開されるにあたって、具体的にどのような問題が生じるかということであった。そこで、つぎに、この事業場に女子および年少労働者を導入した場合に、八時間労働制がどのように変化するかということを検討しよう。ただ、その検討にあたって、つぎの二つの点を留保しておかなければならない。

第一に、女子・年少労働者が導入された場合に八時間労働制がどのように変化するかということは、厳密にいえば、八時間労働制の「展開」としてではなく、八時間労働制の変型として取り扱うべきものであるかもしれない。しかし、現段階においては、もはや女子・年少労働者を除外して企業経営は成立しないと考えられる。たとえば、最近における産業別の女子労働者比率はつぎのようになっている（昭和四〇年版労働白書一五四頁）。

	昭和二九年	昭和三六年	昭和三九年
鉱業	九・六％	九・五％	一二・二％
建設業	一〇・九％	一二・二％	一三・〇％
卸売業	二四・六％	二九・七％	二九・五％
小売業	四二・三％	五一・九％	五二・六％
金融・保険業	三六・一％	四二・二％	四五・九％
運輸・通信業	一一・五％	一四・一％	一四・二％
サービス業		四二・一％	四一・九％
製造業	三一・八％	三四・三％	三三・五％

すなわち、現在では、企業にとって女子・年少労働者の存在は例外的現象ではなく、企業の恒常的構成要素となっているのである。したがって、八時間労働制の運用を検討するにあたっても、女子・年少労働者の存在を考慮にいれることは、八時間労働制の「変型」としてではなく、「展

開」として取り扱うのが妥当であろう。

第二に、女子・年少者の存在が八時間労働制に大きな影響を与えるのは、八時間労働制の基本型においてよりも、むしろ交替制その他の変形労働制においてである。したがって、本節において検討するのは、女子・年少労働者をめぐる八時間労働制運用の実態であるというよりも、実態に近づくための一つの手がかりとしての基本型の検討という意味においてである。

業務の制限も労働時間制に関係がある

労働時間に直接の関係はないが、企業の経営にとっては重大な影響をもつものとして、女子・年少労働者に対する業務の制限がある。労基法第六三条に定める危険・有害業務の就業制限および第六四条に定める坑内労働の禁止がそれである。女子・年少労働者が企業の恒常的構成要素でありながら、このような就業制限をうけるということは、企業の全般を通じての労働時間制の運営を考えるにあたってみのがすことができないことであり、それが成年男子労働者の労働時間の運営にどのような影響を及ぼすかということは、つねに留意しておかなければならない。女子労働者についての産前・産後の休業（労基法六五条）、育児時間（六六条）、生理休暇（六七条）についても同様である。

女子・年少者の労働時間も原則的には差はない

女子労働者の労働時間については、労基法第三二条第一項が適用され、基本的には成年男子労働者とかわるところはない。一日実働八時間である。

また、年少労働者（満一五歳以上。労基法五六条一項）の労働時間も女子労働者と同様である。しかし、最低年齢以下の児童を使用するときには、つぎの制限がある。

(1) 製造業、鉱業、土木建築業、運送業、貨物取扱業以外の事業で、児童の健康および福祉に有害でなく、労働が軽易なものについては、労働基準監督署長の許可を受けて、一二歳以上の児童を使用することができる（労基法五六条二項）。この場合、「事業」の単位は労基法第八条の基準によるから、たとえば製造業を業とする企業であっても本社事務所においては、一二歳以上一五歳未満の児童を使用することができる。

この場合に、労働時間は修学時間外にかぎられ、かつ、修学時間を通算して一日七時間、一週四二時間以内である（労基法五六条二項・六〇条二項）。

(2) 映画、演劇などの興業の事業については満一二歳未満の児童も使用できる。労働時間は(1)に同じ。

(3) 右(1)(2)の場合には、修学に差支えないことを証明する学校長の証明書および親権者または後見人の同意書を事業場に備え付けなければならない（労基法五七条）。

時間外労働については制限がある

時間外労働については女子・年少者ともにきびしい制限がある。まず女子についていえば、非常災害の場合には労基法第三三条第一項によって必要の限度において時間外労働をさせることができるのは男子と同様である（一〇五頁参照）。

しかし、三六協定によって時間外労働をさせる場合（一〇七頁参照）には、女子についてはつぎの制限がある（労基法六一条）。

(1) 一日につき二時間、一週間につき六時間、一年について一五〇時間。

(2) 財産目録、貸借対照表または損益計算書の作成その他決算のために必要な計算、書類の作成等の業務に従事させる場合には、一週間について六時間の制限にかかわらず、二週間について一二時間を超えない限度で時間外労働をさせることができる。

年少者についても、非常災害の場合は女子についてと同様であるが、満一八歳未満の労働者については労基法第三六条は適用されない（労基法六〇条一項）から、三六協定によって時間外労働をさせることができない。なお、年少労働者の労働条件については、一五歳未満、一八歳未満によって著しい差があり、未成年労働者（満二〇歳未満）のうちでは、一八歳というのはきわめて重要な意味を持つ。前述の業務制限も女子および満一八歳未満の者についてであり、労働時間の制限はほとんど満一八歳を基準として区別されている。未成年者であるかどうかによって差異を生じるのは労働契約の締結および賃金請求についてのみである（労基法五八条・五九条）。その意味で、労基法は、満一八歳未満の労働者については年齢を証明する戸籍証明書を事業場に備え付けなければならないこととしている（労基法五八条）。

深夜業は原則として禁止　女子についての深夜業は原則として禁止されている（労基法六二条一項）。しかし、これには例外がある。まず交替制の場合であるが、これについては後に述べる（一七六頁）。また非常災害の場合に、労基法第三三条によるときは、前述した時間外労働（一〇五頁）についてと同様である。重要な例外は、農林業（労基法八条六号）、畜産・養蚕および水産の事業（七号）、保健衛生事業（一三号）、接客業（一四号）および電話交換業務については、女子の深夜業がみとめられる（労基法六二条四項）ことである。ただし、接客業に従事する満一八歳未満の者を除く。

また、中央労働基準審議会の議を経て命令で定める女子の健康および福祉に有害でない業務についても深夜業がみとめられる（労基法六二条四項）。現在みとめられているのは、つぎのとおりである（女子年少者労働基準規則六条）。

(1) 航空機に乗り組むスチュアーデスの業務
(2) 女子を収容する寄宿舎の管理人の業務
(3) 映画の製作の事業における演技者、スクリプターおよび結髪の業務（セットによる撮影の場合における業務を除く）
(4) 放送法第二条に規定する放送の事業におけるプロデューサーおよびアナウンサーの業務

(5) かにまたはいわしのかんづめの事業における第一次加工の業務（原料処理から封かん作業まで。包装業務はふくまない）

年少者も深夜業は禁止

満一八歳未満の労働者についても深夜業は禁止されているが、これについてもつぎの例外がある（労基法六二条）。まず、交替制によって使用する満一六歳以上の男子については深夜業を行わせることができる（後述一七八頁）。そのほかの交替制についても女子の場合と同様の例外がある（後述一七六頁）。非常災害の場合も、女子の場合と同様である。農林業、畜産・養蚕・水産事業、保健衛生事業および電話交換業務については、満一八歳未満の者についても深夜業がみとめられる。前述の女子の場合と同様であるが、満一八歳未満の者については接客業は除かれている。なお、満一二歳以上一五歳未満の児童（労基法五六条二項本文）については深夜業は午後八時から午前五時まで（労働大臣が必要とみとめるときは午後九時から午前六時まで）である（労基法六二条五項）。

年少者は、深夜業がみとめられるときも時間外労働は禁止

右いずれの場合にも、深夜業はみとめられていても時間外労働はみとめられていない（女子の場合は制限つきでみとめられている）から、女子・年少者については深夜業も基準内労働として行われなければならない。したがって、女子・年少者の深夜業禁止に関する例外は、八時間労働制の基本型においてではなく、その変型である交替制においてのみ意味をもつことになる。

休日労働は全面禁止　女子についても年少者（満一八歳未満の者）についても休日労働はみとめられない（労基法六一条・六〇条一項）。これに対する例外は非常災害の場合（労基法三三条）だけである。

宿直・日直は原則的にできない　宿直および日直の業務については、労基法第四一条第三号および施行規則第二三条によって、年少者の労働時間・休日に関する制限、女子の労働時間・休日に関する制限は適用されない。しかし、深夜業に関する規定の適用は排除されないから、宿直勤務は、前述の深夜業がみとめられる例外の場合を除き女子および満一八歳未満の者についてはみとめられない（昭二三・六・一一基収八五五）。また、年少者については、法文上みとめられる日直勤務および深夜業がみとめられる事業についての宿直勤務についても、年少労働者保護の観点から許可しない方針がとられている（昭二三・六・一六収監七三三）。

第四章　八時間労働制の変型

Ⅰ　概　説

八時間労働制は変型する　前章において、八時間労働制の基本型とその具体的展開を検討してきた。そして、そこでは、事業場外労働（Ⅱ一）、宿直・日直（Ⅱ六）などの若干の例外はあるにせよ、八時間労働制は具体的な展開の場においてもその基本型を維持し、さらに、場合によっては労基法の規定を超えて八時間労働制の原則を厳格に貫徹しているのをみてきた。しかし、このような八時間労働制の原則の貫徹は、前章において設定したような基本型の場合には可能であろうが、事業の形態、作業の形態がどのように変化しても変形をうけないものであろうか。たとえば、顧客に接するために業務を中絶することができない場合、機械設備との関連において継続操業が要求される場合，あるいは作業の性質上変則労働を必要とする場合には，八時間労働制はどのように変容していくであろうか。そして，その変容によって，なお八時間労働制は八時間労働制としてとどまり得るであろうか。これを検討するのが本章の課題である。

労基法は変型を予定　このような八時間労働制の変型は，労基法の規定そのものがすでに例外規定を設けることによって予定している。このような例外規定がどのように相より相あつまって八時間労働制の変容を推進していくかは，節をあらためて検討することとして，ここでは，労基法の定める例外規定をまず概観しておくこととする。

(1)　適用除外（労基法四一条一号）

(2)　時間外　休日労働（同三六条）

(3)　変形労働時間制（同三二条二項・六〇条三項），変形週休制（同三五条二項）

(4)　交替制（同六二条一項・三項）

(5)　労働時間および休憩の特例（同四〇条）

このうち，(5)（労基法四〇条）の例外がもっとも範囲が広いが，この例外を運用するにあたっては，時間外・休日労働，変形労働時間制，変形週休制，交替制などが組み合さって複雑な構成をとることになる。

II　商　店
——第一の変型——

ＩＬＯ条約も商店は例外　商店における労働時間は、なるべく営業時間を長くして販売成績を上げることと、顧客の便宜をはかるため常時営業を維持することが要請される。このために、労働時間の長さ、休憩・休日の配置に特別の考慮が必要となる。しかも、商店の従業員には女子・年少者がふくまれることが多いので、女子・年少者に対する労働時間の規整についての考慮が特に要求される。

ＩＬＯ条約「商業および事務所における労働時間の規律に関する条約」（三〇号）は、商業および事務所における労働時間について、一週四八時間かつ一日八時間を原則としつつ（三条）、一週の最長労働時間を一日の労働時間が一〇時間を超えないよう按配することをみとめる（四条）ほか、つぎの例外をみとめている。

(1)　(a)地方祭日または(b)災害または不可抗力（装置に対する災害、動力・灯火・暖房もしくは給水の中絶もしくは設備に重大なる物質上の損害を生ずる事故）に基因する一般の労働中絶の場合においては、一日の労働時間は、失われたる労働時間を補塡するため延長することができる。もっとも、左の条件に従わなければならない。

(a) 失われたる労働時間は一年につき三〇日を超えて補塡することを許容されず、かつ適当なる期間内に補塡されなければならない。

(b) 一日の労働時間の延長は一時間を超えることができない。

(c) 一日の労働時間は一〇時間を超えることができない。（五条）

(2) 労務の行わるべき事情が第三条および第四条の適用を不可能ならしめる例外の場合においては、公の機関により設けられる規則は、労働時間が一週間よりも長い期間に配分されることを許容することができる。もっとも、該期間に包含される全数週を通じての平均の労働時間は、一週四八時間を超えず、かつ、いずれの一日の労働時間も一〇時間を超えないものとする。（六条）

(3) 公の機関により設けられる規則は、労務の性質、人口の大きさまたは使用される者の数が第三条および第四条に定められる労働時間の適用を不可能ならしめる場合の店舗その他の設備につき規定し、一日につきみとめられる増加労働時間数を定めなければならない。（七条）

商店の労働時間は一日九時間　労基法は、ＩＬＯ条約（三〇号）第七条にならい、商店については八時間労働の原則そのものを修正した。すなわち、休憩時間を除き、一日について九時間、一週間について五四時間まで労働させることができる。この例外の適用をうけるのは、商業（労基法八条八号）のうち常時三〇人以上の労働者を使用する販売または配給の事業を除いたもの、映画の映写、演劇その他の興業の事業（労基法八条一〇号のうち映画製作の事業を除いたもの）、保健衛生事業（同一三号）、接客業（同一四号）である（労基法四〇条、施行規則二七条）。そして、この場合にも、労基法第三二条第二項に相当する変形五四時間制ともいうべきものがみとめられるから、使用者は、四週間を平均して一日の労働時間が九時間、一週間の労働時間が五四時間を超えない定めをした場合には、その定めによって労働させることができる。ただし、保健衛生の事業を除き、一日について一一時間を超える定めをしてはならない（施行規則二七条二項）。

商店の営業時間は長い　商店の営業時間を一日一〇時間以内とするときは、前述のように一日九時間まで労働させることができるから、始業時刻を適当に定めれば足りる。一日一〇時間の営業時間のうちには休憩時間一時間がふくまれるが、後述するように商店については一せい休憩の原則が除外される（施行規則三一条）から、たとえば休憩時間を午前一一時三〇分から一二時三〇分までと一二時三〇分から午後一時三〇分までのように交替制とすれば、労働者各人については、一〇時間の営業時間のうち、それぞれ労働時間九時間、休憩時間一時間となる。ただし、この場合でも満一八歳未満の者については一日の労働時間は八時間に制限される（労基法六〇条一項）から、始業時刻を一時間繰り下げるか終業時刻を一時間繰り上げるかしなければならない。しかし、一日の営業時間が一〇時間を超える場合には、これでも不十分なので、いろいろな方法が工夫されている。

時間外労働による場合　第一の方法は、一日一〇時間（休憩時間をふくむ）を超える時間につき三六協定によって労働させる方法である。しかし、この方法によると、一八歳未満の者については時間外労働をさせることができず（労基法六〇条一項）、また女子については原則として一日二時間、一週六時間、一年一五〇時間を超えて時間外労働をさせることができない。賃金の面でもこの方法によると割増賃金を支払わなければならず支出増となる。また、本来、経営の「臨時の」必要に応じる制度である三六協定による時間外労働を恒常的な営業形態に適用することにも無理があるといえよう。

時差出勤による方法　営業の状態が全従業員について一日九時間を超えて労働させる必要がある場合には、前項の三六協定による以外に方法はない。しかし、商店の通常の形態では、営業の全時間を通じて顧客の繁閑が一様であることはまれであろう。したがって、従業員の就業時間をずらして、最も繁忙な時刻に全従業員を集中させる方法が考えられる。たとえば、午前九時から午後一〇時までの一三時間を営業時間とする場合に、休憩時間一時間をふくめて一日一〇時間勤務の者を二組にわけ、つぎのとおり時差勤務させる方法である（労働省労働基準局監督課監修・就業規則の作り方一八五頁）。

	始業	終業
早番	午前九時	午後七時
遅番	正午	午後一〇時
休憩	午後一時から午後二時まで 午後二時から午後三時まで	

この方法によれば女子については特別の考慮は必要がないが、一八歳未満の者については労働時間を一時間繰り上げまたは繰り下げる必要がある。また、満一二歳以上一五歳未満の児童（労基法五六条二項）については午後八時または九時以降は労働させることができない（労基法六二条五項）。

この場合、営業の繁閑に応じて、正午から午後七時までの間に全従業員の手をそろえるために半数ずつの早番・遅番とする方法、あるいは、顧客の少い時間の番たとえば早番を少数とし大部分を遅番とする方法などがある。なお、この方法によれば、早番・遅番とも労基法の基準内であるから、変形労働時間制によって早番者と遅番者とを交替させる必要はないが、勤務時刻の如何によって苦痛度が異ることを考慮すれば、適宜交替して負担の均等化をはかるべきであろう。

変形五四時間制による方法

これも時差出勤の一変型であるが、日によって労働時間を変化させる方法である。

たとえば前例において全従業員を数班にわけ、繁忙時刻に応じてつぎのように配置する。この場合には、その旨を就業規則においてあらかじめ具体的に定めておかねばならない（施行規則二七条二項）。

＜例一＞（繁忙時が正午から午後七時まで）三班制

	A勤（実働六時間）〔正午から午後七時〕	B勤（実働九時間）〔午前九時から午後七時〕	C勤（実働一二時間）〔午前九時から午後九時〕
第一日	1班	2班	3班
第二日	3班	1班	2班
第三日	2班	3班	1班
第四日	1班	2班	3班
第五日	3班	1班	2班
第六日	2班	3班	1班
第七日	休日	休日	休日

これによると、一週間を通じて（したがって四週間を通じても）一日の労働時間が平均九時間を超えず、かつ、つねに各班が交替して負担が平均化する。

＜例二＞（繁忙時が午後三時から午後一〇時まで）四班制

日	A勤〔午後三時から午後一〇時まで〕	B勤〔同上〕	C勤〔午前九時から午後一〇時まで〕	D勤〔同上〕
1	1班	2班	3班	4班
2	4班	1班	2班	3班
3	3班	4班	1班	2班

4	2班	3班	4班	1班
5	1班	2班	3班	4班
6	4班	1班	2班	3班
7	休日	休日	休日	休日
8	3班	4班	1班	2班
9	2班	3班	4班	1班
10	1班	2班	3班	4班
11	4班	1班	2班	3班
12	3班	4班	1班	2班
13	2班	3班	4班	1班
14	休日	休日	休日	休日

この方法によっても、労働時間は二週間を通じて（したがって四週間を平均しても）一週五四時間、一日九時間を超えないことになる。

しかしながら、この変形五四時間制による方法には、つぎのような難点がある。

(1) まず満一八歳未満の者については変形労働時間制は適用されないから、商店の従業員の主力をなす満一八歳未満の者をローテーションからはずさなければならない。これによって、変形労働時間制はその意義を失うか、または、きわめて複雑なものとならざるを得ない。

(2) 〈例二〉において、C勤・D勤の場合も一日の労働時間が八時間を超える場合であるから、休憩時間は一時間で足りるのであるが、最近の労働時間の実情は、八時間を超える労働時間についても別に休憩時間を与える傾向にある（一一〇頁参照）から、この点においても修正が考慮されなければならない。のみならず、一日八時間を超える労働に対する苦痛感情が増大しつつある現段階において（一一一頁参照）、連日ではないにせよ、一二時間という長時間労働を常態化させるということじたいに、根本的な疑問が生ざざるを得ない。

休憩時間の延長による方法　前掲『就業規則の作り方』は、休憩時間は最長限が定められていないから仕事の閑散な時刻がはっきりしているときは休憩時間として実働時間を延長せず拘束時間を長く定めることができるとして、つぎのような例を挙げている（一八八頁）。

第〇条　一日の実労働時間は九時間とし、その始業、終業の時刻、休憩時刻は次のとおりとする。

始業　午前九時
終業　午後九時
休憩　第一組　午前一〇時より午前一一時まで
　　　　　　　午後二時より午後三時まで
　　　　　　　午後七時より午後八時まで
　　　第二組　午前一一時より正午まで
　　　　　　　午後三時より午後四時まで
　　　　　　　午後八時より午後九時まで

これによると、一日実働九時間、休憩三時間で、労基法の規定には違反しない。しかし、女子・年少者についてではあるが実働時間のみならず拘束時間をも制限している立法例もある（イギリス一九三七年工場法七〇条）し、解釈例規も、かつては、労働者が不当に長時間拘束されることはのぞましくないとの見地から、「不必要に拘束時間を長くせぬよう指導されたい」（昭二三・三・一七基発四六一）と述べていた（昭三三・二・一三廃止）こともあり、また、最近の時間短縮問題の重点の一つに余暇利用が挙げられていることからみても、このような拘束時間延長の方法はのぞましいものとはいえまい。

休憩については特例がある　商店については、前述のように、休憩について一せい休憩の原則の適用除外の特例がある。この特例の適用をうけるのは、運送業（労基法八条四号）、商業（同八号）、サービス業（同九号）、興業（同一〇号）、郵便・電信・電話事業（同一一号）、保健衛生事業（同一三号）、接客業（同一四号）、官公署（同一六号）である（施行規則三一条）。したがって、一日の労働時間が八時間を超える場合には、一時間以上の休憩を交替で与えれば足りる。しかし、交替でといっても、手すきの者から随時にとか、適宜なときに一時間というように抽象的に定めるべきではなく、交替制の休憩の時刻を班別などの方法により特定しておくべきであろう。

商店についても週休の原則は適用される。しかも、商店の従業員の主力である女子および一八歳未満の者については、三六協定による休日労働はみとめられない（労基法六〇条一項・六一条）から、顧客の便宜のために通常の休日にも営業を継続しようとする商店にとって、とるべき方法は、週休日を日曜日以外の日と定めるか、交替休日制を採用する方法しかない。前者は、デパートなどで行われている週休日を月曜日、木曜日などとする方法であるが、この場合には少くとも日曜日には営業するがそれ以外の特定週日に休業して全従業員が一斉に休むのであり、「世間なみに休む」という理想からは外れるが全従業員が一斉に休むという点では交替休日制よりは好ましいといえよう。交替休日制は、「年中無休」の営業を行う場合であって、従業員を数班にわけ、交替で週休をとらせるものである。この場合にも、使用者が随時休日を指定するのではなく、交替の具体的な方法が特定されていることがのぞましい。交替をきわめて機械的に、たとえば七班にわけて交替させると、毎日七分の六の従業員で営業することになるが、業態によっては特定の繁忙日を全員出勤とし、のこりの日を交替週休とすることもできる。たとえば、土曜日と日曜日とを全員出勤とし、五班交替で月曜日から金曜日までの間に交替で週休をとらせる方法である。しかし、最近は商店でも年中無休のところは少くなり、週休制が増加しつつある。その週休制への移行の段階において、月二日定休制が業者間で協定されたこと

休日は交替週休制

があるが、この場合の週休のとり方について、『就業規則の作り方』は、つぎのような例を挙げている(一九〇頁)。

第〇条　休日は次のとおりとする。

一　定休日　毎月一〇日、二〇日

二　定休日以外の週休日

定休日の属する週以外の週についてはつぎの日を週休日とする。

一組　月曜日

二組　火曜日

三組　水曜日

四組　木曜日

五組　金曜日

商店の類型に属する事業は多い　労基法施行規則第三一条は、商店をふくむ労基法第八条第八号の他に、第四号・九号・一〇号・一一号・一三号・一四号・一六号の事業について一せい休憩の規定(労基法三四条二項)の適用を排除している。このうち第四号(運送業)は、後に述べるように(施行規則二六条・二六条の二・三二条)不規則勤務形態であって、一せい休憩の原則の適用排除のみならず、労働時間も特異な形態をとる。また第九号(サービス業)は、接客という形態では商店と類似するが営業時間の延長は必ずしも必要ではないから、八時間労働の原則は修正されず、厳格に適用される。また第一六号（その他の官公署）については、労基法第三三条第三項によって労働時間の延長がみとめられているから、同一に論じることはできない。したがって、商店と労働時間についての規整を同じくするものは、施行規則第三一条と第二七条とに共通のものであって、つぎのとおりである。

(1) 労基法第八条第八号の事業　物品の販売、配給、保管若しくは賃貸又は理容の事業。ただし、販売または配給の事業のうち、常時三〇人以上の労働者を使用するものについては、交替による営業時間の延長が可能である点を考慮して、八時間労働の原則はくずされていない（前出一五三頁のＩＬＯ三〇号条約七条参照）

(2) 同第一〇号の事業　映画の映写、演劇その他興業の事業（映画の製作の事業は、一せい休憩の適用除外のみで、九時間労働は適用されない。接客の要素がないからである）

(3) 同第一三号の事業　病者又は虚弱者の治療、看護その他保健衛生の事業

(4) 同第一四号の事業　旅館、料理店、飲食店、接客業又は娯楽場の事業

旅館には別な特殊性がある　前項に述べた事業における労働時間については、商店について述べたところがそのまま該当する。ただ、旅館については、法的な規整の面では異るところがないにもかかわらず、実態の面では、若干注意を要する点がある。すなわち旅館業の場合には、商店

などの場合と異って、早朝や深夜に発着する泊り客の必要に応じるために労働時間が早朝から深夜に及ぶことがある反面、昼間は客が出てしまうので繁忙時が朝と夕方に集中する。また、賄方のように労働時間が断続的な業務もある。他方において、従業員が女子を主力とするために深夜業や時間外労働について特別の配慮を必要とする。

労働時間の配置には工夫を要する

旅館の労働時間について商店と異るのは、女子従業員についても深夜業がみとめられることである（旅館のみならず、労基法八条一三号・一四号の事業につきすべて同様）。ただし、一八歳未満の女子については（一四号の事業のすべてについて）深夜業はみとめられない（労基法六二条四項）。しかも、一八歳未満の女子については労働時間も一日八時間である（労基法六〇条一項）から、労働時間の配置も一八歳以上の従業員と一八歳未満の従業員との組合せ方によって複雑な形態となる。また、満一八歳以上の女子について深夜業がみとめられるといっても、労働時間は深夜業をふくめて一日九時間におさえられているのであるから、一般商店にくらべて営業時間の長い旅館の従業員の勤務割は、その点にも困難をともなう。

したがって、満一八歳以上の女子の従業員のみを使用している旅館において、午前六時から午後一一時までの一七時間（最近は午後一〇時以後の御用命は御遠慮下さいという旅館がふえたが、この場合でも後片づけなどを考えると午後一一時までの勤務となるであろう）を勤務時間とするという場合を考えても、いろいろな問題が生じる。

商店と同じ労働配置は不適当　商店の勤務時間について述べたような早番と遅番とによる時差勤務で勤務時間を交錯させることは、つぎに示すように、労働力が比較的業務の閑散な時間に集中し、その反面、最も繁忙な時期に労働力が不足するということになる。このような配置は、旅館業にとって不便であることはいうまでもない。

＜例一＞

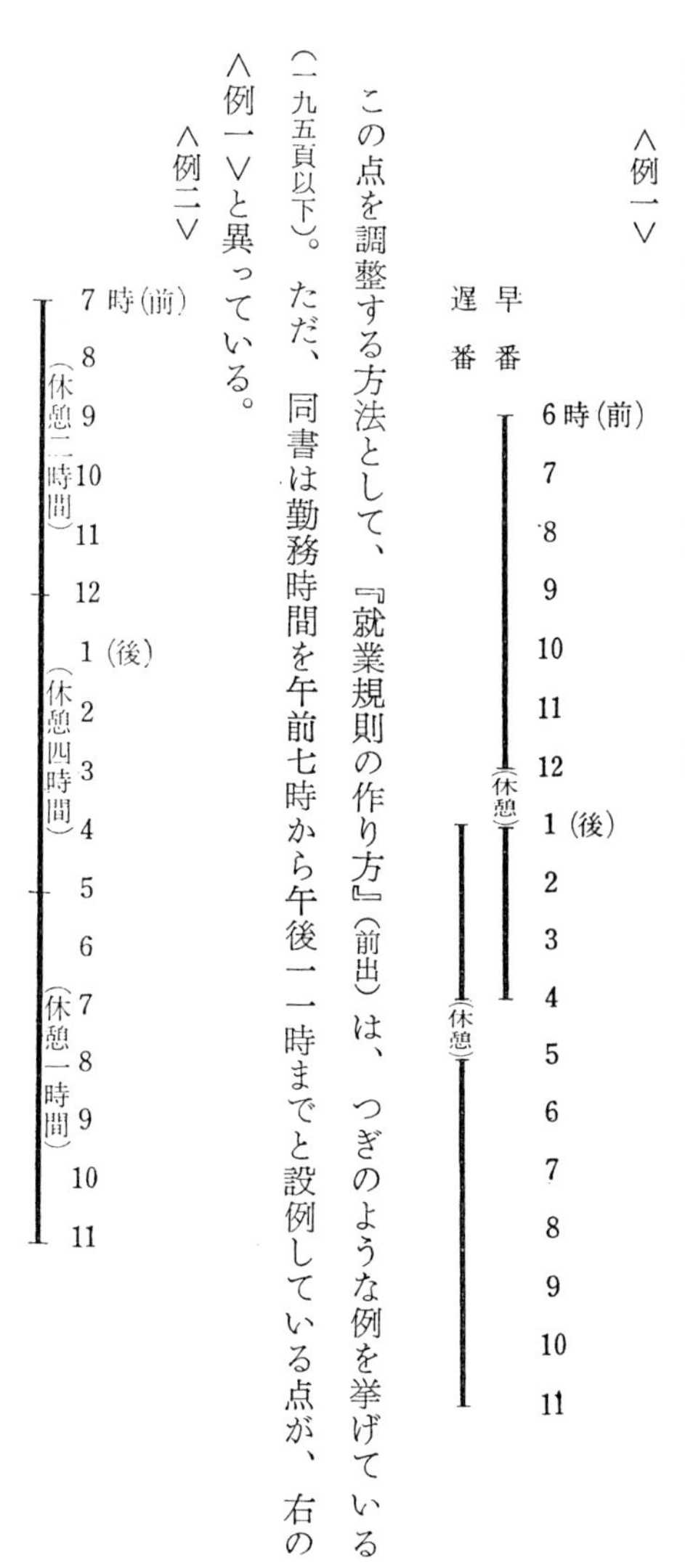

この点を調整する方法として、『就業規則の作り方』（前出）は、つぎのような例を挙げている（一九五頁以下）。ただ、同書は勤務時間を午前七時から午後一一時までと設例している点が、右の＜例一＞と異っている。

＜例二＞

すなわち、商店の項で述べた休憩時間（したがって拘束時間）延長の方式である。これによると、拘束一六時間・実働九時間、細かくいうと午前中は拘束五時間・実働三時間、午後は拘束五時間・実働一時間、夜は拘束六時間・実働五時間ということになる。たしかに休憩時間の最長限は労基法では定めていないから、このような方式によることも違法ではない。しかし、拘束時間を長くするために休憩時間を長くすることがのぞましくないことはすでに指摘してきたとおりであり、ことに、右のような方式では、労働のための休憩ではなく拘束のための休憩であって、少くとも労基法が予定した八時間労働制の姿とはほど遠いものといわなければならない。もし、このような方法が形式的に違法でないということによって容認されるのであれば、それは八時間労働制の「変型」ではなく、その限りにおいて八時間労働制は崩壊し死滅するといっていいであろう。この点については、後述する断続的労働と比較すれば、その問題点は一そう明らかである。

同書は、さらに、つぎのような方法をも示している（一九七頁）。

〈例三〉

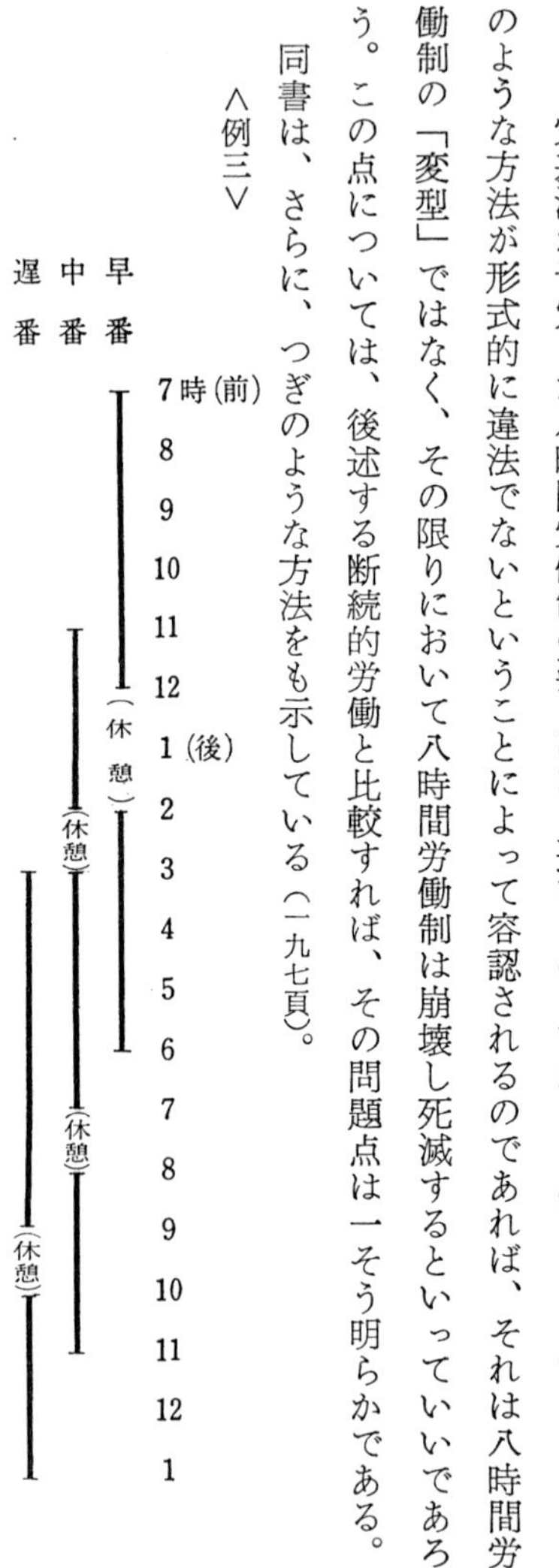

ただし、この例によると中番の勤務が拘束一二時間・実働一〇時間となっているが、これは何かの間違いであろう。

旅館の労働時間配置には不合理が多い

この方法は、繁忙時を夕方におき、朝の繁忙時を一番方だけで担当させるもので、休憩時間も極端には延長されない。ただ、番によって負担の軽重があるので、交替をさせることが必要になるほか、この方法にも、つぎのような問題がある。

第一に、遅番の労働時間が深夜にわたりすぎないかということである。女子の深夜業がみとめられているからといって（深夜割増賃金を支払うことは当然）、それを当然のこととするのは法の趣旨ではあるまい。

第二に、遅番勤務が翌日にまたがっていることである。一日の労働時間の計算は暦日（午前零時から午後一二時まで）によるというのが原則である（通説。ただし、吾妻光俊・労働基準法一六〇頁は継続勤務八時間と解する）から、遅番者が翌日に早番または中番に替ったときに、労働時間が遅番時の一時間を併せて一〇時間となり、一日九時間の制限を超えることにならないか、との疑問がある。継続した労働が二日にわたり、各日において八時間労働が行われるときは、実質的に継続一六時間労働であり、このような場合には暦日を異にする場合でも継続勤務を一勤務として取り扱うのが解釈例規（昭二三・七・五基発九六八）の立場であるから、遅番の日の労働を九時間と解することができるとしても、だからといって、同一暦日における労働時間の一部をその日の労働時間から排除することが当然にできるとはいえない。強いていえば、施行規則第二七条第二項の変形五四時間と解すべきであろうか。そうすれば、変形労働時間制における一日の労働時間一一時間の制限を超えてはいない。

第三に、満一八歳未満の従業員については労働時間は八時間であり、変形四八時間制の適用もなく（労基法六〇条一項）、かつ、深夜業もみとめられない（労基法六二条四項但書）から、遅番勤務につかせることはできず、中番の場合に午後一〇時以降に労働させることはできず（労基法六二条二項の場合は可能）、かつ、早番、中番の場合にそれぞれ労働時間を一時間短縮しなければならない。

第四に、遅番の翌日を休日とした場合に、その日の二四時間のうちの最初の一時間は労働しているのであるから、その休日をもって「一回の休日」といえるか（労基法三五条）ということが問題になる。労基法に定める「一回の休日」は、原則として継続二四時間の暦日をいうものとされている（昭二三・四・五基発五三五）からである。しかし、前述の二暦日にまたがる継続勤務を一勤務として取り扱うこととの関連において、休日とされている暦日に短い労働時間がくいこんでも残余の時間が休日としての実質を失わず、かつ継続二四時間以上の休息が与えられているかぎり休日としてみとめるということになろうか（有泉亨・労働基準法二九六頁。なお、昭二三・一〇・一四基発一五〇七参照)。もっとも、ＩＬＯ条約(一四号、四六号、六七号、一〇六号)、同勧告(一〇八号)は、いずれも「継続二四時間の休暇」または「継続三〇時間を包含する休息時間(そのうち二二時間を下らない時間は同一暦日に来るものとする)」と規定しており、労基法の解釈としても休日を「継続二四時間の休息」とする見解がある(末弘「労働基準法解説」法律時報二〇巻三号三三頁)。このように解するならば、遅番に続く早番または中番の勤務についても変形五四時間労働ではなく九時間労働と解することも不可能ではない。しかし、このように解釈によって九時間労働制を変形していくことは、実質的に九時間労働制を崩壊させるものとして警戒を要する。

長期滞在客と継続勤務　旅館の業務の特殊性として、長期滞在客と勤務時間との問題がある。同一滞在客に対して同一従業員が担当するということは、客の側からすれば便利であるからである。しかし、この原則を貫くとすれば、早番、中番、遅番の時差勤務は事実上不可能であるし、休日についても客の都合によって頻繁に振替えが行われる可能性がある。しかし、八時間労働制の厳格な実施が不可能と考えられていた新聞社の取材記者についても事務の引継ぎによって八時間労働制を実施した例があるし、旅館の従業員についても引継ぎの円滑化をはかることによって客に不便を与えないようにすることは不可能ではない。もっとも、チップ制との関連を考える必要もあるが、この点はチップのプール制その他によって解決が不可能ではない。

早発ち・遅発ちの客

早発ち・遅発ちの客、あるいは深夜・早朝のとびこみ客のために、所定勤務時間外の労働が必要なことがある。そのために相当の労働が要求されるのであれば、当然に時間外労働として取り扱うべきであるが、単に送迎をするにとどまるときは、宿直勤務として取り扱うことができよう。

休日は交替週休制が原則

休日は、旅館の場合には年中無休であるから、交替制週休となる。この点は商店について述べたところと同様である。ただ、日曜日が通常の日より繁忙であっても、なるべくは日曜日にも休日をとることができるようにすることがのぞましいのは、すでにくり返したとおりである。

旅館には断続的労働がある

旅館には、宿直勤務のほかに、断続的労働に従事する従業員がある。炊事係、風呂番などがその顕著な例である。断続的労働に従事する者については八時間労働制は適用されない（労基法四一条三号）。ただし、宿直勤務について述べたところ（一四九頁）と同様に、深夜業禁止の規定は排除されないから、一八歳未満の者については、断続的労働に従事する場合でも深夜に労働させることはできない。

断続的労働には許可が必要

断続的労働に従事する者として八時間労働制の適用を除外するためには労働基準監督署長の許可をうけなければならない。「断続的労働に従事する者」とは、本来業務が間歇的であるため労働時間中においても手待ちの時間が多く実作業時間が少い者のことであり、通常の労働者と比較して労働密度が薄く、労働時間・休憩・休日の規定を適用しなくても必ずしも労働者保護に欠けるところがないと解されている（労働基準局・改訂版労働基準法上四一三頁）。しかし、実際問題として、一般の労働と区別することが困難なことが多いので、労働基準監督署長の許可をうけることとしたのである。労働基準監督署長の許可を申請するのは、様式第一四号による（施行規則三四条）が、これには、業務の種類、員数のほか、労働の態様として始業の時刻、断続の状況などを詳細に記載すべきものとされている。解釈例規は、断続的労働の許可基準としてつぎのような基準を示している。

(a) 断続的労働に従事する者とは、休憩時間は少いが手待時間が多い者の意である（昭和二二・九・一三発基一七）。

(b) 修繕夫のごとく通常は業務閑散であるが事故発生に備えて待機するものは許可すること、鉄道踏切番のごときものについては一日交通量一〇往復程度まで許可すること（同右）。

(c) 貨物の積卸に従事する者、寄宿舎の賄人等については、作業時間と手待時間折半の程度まで許可する（同右）が、その場合でも実労働時間の合計が八時間を超えるときは許可すべきでない（昭二三・四・五基発五三五）。ただし、汽艇（引船）乗務員については、拘束時間が一日平均一二時間以内、運航時間が一日平均五時間以内とする（昭三四・九・一基発五九九〇）。

(d) 汽罐夫その他特に危険な業務に従事する者については許可しないこと(昭二二・九・一三基発一七)。

(e) 四名を一組とする各組が四日間に一度ずつ断続労働をすることにより一周期を構成しこれを反復する場合のように、断続労働(この場合午前八時から翌日午前二時三〇分まで)と平常勤務(午前八時から午後四時まで)とが反復するような場合には、常態として断続的労働に従事する者にはあたらないから、許可しない(昭二八・二・一三基収六三二一)。

以上の基準によって、解釈例規は、原則として新聞配達従業員や旅館の女中は断続的労働とはみとめられないが、小学校の小使、高級職員専用自動車運転手、寄宿舎専属の寮母、看護婦、住宅公団管理人などは断続的労働とみとめている。旅館の炊事係も、実労働時間が八時間を超えず、総勤務時間が一六時間以内であれば、断続的労働の許可をうけることができる。

前掲『就業規則の作り方』は、つぎの二つの例を示している(一九五頁および一九八頁)。

<例一>

始業　午前五時　　終業　午後一〇時

休憩　午後二時より一時間

<例二>

	始業	終業	休憩
早番	午前七時	午後六時	午前一二時から午後二時まで

中　番　午前一一時　午後一一時　午後二時から午後四時まで
午後八時から午後九時まで
遅　番　午後三時　午前一時　午後九時から午後一〇時まで

なお、ある病院の炊事係の勤務時間の例をつぎにかかげる。

＜例三＞

一　班　午前四時―午前六時　午前七時―午前一一時　午後二時―午後四時
二　班　午前六時―午前一〇時　午後一時―午後五時
三　班　午前七時―午前一一時　午前一二時―午後二時　午後五時―午後七時
四　班　午前九時―午後一時　午後二時―午後六時

断続的労働の許可をうけたときでも深夜業について割増賃金を支払わなければならないのは、宿・日直について述べたところ（一三六頁）と同様である。この場合、一日九時間を超える労働、休日の労働に対しても労基法上は割増賃金を支払う必要はない。しかし、所定勤務時間を超える労働または所定休日における労働に対しては、その労働時間に相当する賃金を別に支払わなければならないのは当然であるし、就業規則などにおいて、このような場合には割増賃金を支払うものと定めることも差支えない。

とめられているのは、通運事業における特殊日勤勤務者または一昼夜交替勤務の者（一日一〇時間・一週六〇時間、施行規則二六条の二）、運送事業の予備勤務員（変形四八時間、施行規則二六条）、屋内勤務者三〇人未満の郵便局において郵便、電信または電話の業務に従事する労働者（一日一〇時間・一週六〇時間、施行規則二八条）および警察官、警察吏員、消防吏員、常備消防職員（一日一〇時間・一週六〇時間、施行規則二九条）であるが、これらの例外は、いずれも勤務内容の特殊性または労働密度によるものであり、後に特殊労働として別に取り扱うこととしたい（一九一頁以下）。ここで問題としようとしているのは、営業ないし操業時間を延長することを必要としつつも、一勤務の労働時間をもっては所要操業時間の必要をみたしえない場合の労働時間制の形態であって、いわゆる交替制労働である。

III 交替制労働
――第二の変型――

交替制労働にはいろいろな種類がある

商店など（施行規則二七条）のほかに基準内労働時間が八時間を超えることがみ

厳密にいうならば、交替制労働にも二つの種類がある。一つは、作業の性質上中断をゆるさないために完全連続操業を必要とする交替制労働、あるいは、公共的必要性から操業の中断が困難なための交替制労働である。もう一つは、必ずしも連続操業を必要とするわけではないが、設備能力不足の補充策、設備投資の早期償却などのためなどの経済採算的必要性からくる交替制である。このうち、本節においては、後者のみを交替制労働としてとりあげ、前者については、継続労働として節をあらためて検討することとする。もっとも、現実には、この両者はそれほど明確に区別しうるものではない。たとえば、製鋼・鋳造・光学関係などの熱処理、ボイラーマン、化学・石油精製、製紙パルプの装置工業などは、絶対的に連続操業が必要なわけではないが、熱経済の面から、あるいは施設の休止および操業開始に技術的・経済的障害が伴うために連続操業をえらぶのであって、一面においては技術的必要によるものであるが、他方においては経済採算的必要によるものであるともいえよう。また、守衛、役員附乗用自動車運転手、変電所・気罐室・ポンプ室等の動力関係などは、その作業じたいが連続操業を必要とするというよりも、他の業務が連続操業を必要とするために、これに伴って連続操業を必要とするものといえよう。しかし、検討の便宜上、一応右のように区分して考察することにする。なお、守衛などのように、断続的労働または監視的業務に従事するものも、交替制の一種ではあるが、一勤務の労働時間をもって所定操業時間の必要をみたしえないわけではないから、特殊労働の節において検討することにする。

二交替制労働

経済採算的必要性からくる交替制労働は、できうるかぎり操業時間を延長すれば足りるのであって、必ずしも連続操業を必要としない。したがって、深夜割増賃金の支払との採算におけるにらみ合せ、あるいは女子労働者の深夜業禁止との関連において、深夜を除く一日二交替制労働がとられることがある。ことに、女子・年少者を主力とする企業においては、深夜にも労働させる三交替制労働を採用するために成年労働者を雇い入れることによって賃金ベースが上ることになるから、それよりはむしろ二交替制労働をえらぶということになるであろう。現在では、二交替制労働は、一般機械製造業、電気機械・輸送用機械・精密機械製造業などが採用しているが、何といっても、早くから二交替制労働を採用し、また現在においても最もひろく採用しているのは綿紡績業であり、中労委調査（昭和三九年六月）によっても、一二社中一二社ともに二交替制労働を採用している。

二交替制労働の労働時間

すでに述べたように（五二頁）、労基法は制定の当初から、紡績業における女子労働者の二交替制労働を意識して労働時間および休憩時間を定めている。これは、労基法制定当時、紡績事業が戦後経済の復興に重要性をもつと考えられたためである。

労基法によると、深夜とは原則として午後一〇時から午前五時までをいう（六二条一項）。したがって女子を労働させることができるのは、午前五時から午後一〇時までの一七時間である。これを二交替制によると、一勤務あたり拘束八時間三〇分となるが、実働八時間とすると休憩時間は三〇分にすぎず短きにすぎる。そうかといって、休憩時間を一時間とすれば、実働は七時間三〇分となる。そこで、休憩時間について、労働時間が八時間を超えないときは四五分として一五分間をうかせ（三四条）、さらに、交替制労働によるときは行政官庁の許可をうけて午後一〇時三〇分まで（深夜業が午後一一時から午後六時までとされているときは午前五時三〇分から）働かせることができることとして深夜時間に三〇分くいこませ、一勤務あたり一五分をうかせ、結局、実働八時間・休憩時間四五分という女子の二交替制労働の体系をつくり上げたのである。このような操作は、必要にせまられたとはいえ、技巧的にすぎる感じは否定できないが、ともかく、これによって女子の二交替制労働は一応適法な形をとることになった。もちろん、この場合でも、成年男子労働者については深夜業はみとめられるから、女子の二交替制労働とならんで男子の三交替制労働をとることはさしつかえない。前述の中労委調査によっても、綿紡一二社中四社までが、二交替制と三交替制を併用し、そのうち二交替制の適用をうける労働者が八九・一％、三交替制の適用をうける労働者一〇・五％、その他四％、交替制勤務労働者が全労働者に対して占める割合は六一・二％となっている。なお、その他の業種のうち二交替制を主とするものについて、同調査による数字を掲げるとつぎのとおりである。

	全交替制労働者中の二交替制労働者数の比率	全労働者に対する全交替制労働者数の比率
製糸	一〇〇・〇	七三・四
羊毛	九六・三	六二・七
麻	九九・二	七四・七
木材	一〇〇・〇	一八・五
非鉄金属	一〇〇・〇	七・四
機械	六五・〇	一三・三

「ふくろう」労働者

「ふくろう」労働者という名称は、近江絹糸の争議（昭和二九年）によって一躍有名になった。前にも述べたように、経済的採算性を理由とする交替制は、継続的労働と異って必ずしも連続操業をする必要はなく、採算性のゆるすかぎり操業時間を拡大延長すれば足りるのであるが、そのことは他面において、採算上有利であれば二交替制労働は容易に三交替制労働に転化する可能性をもつことにもなる。ただ、紡績業においては、女子従業員が主力であるために深夜業を行うことができず、二交替制をとらざるをえなかったのであり、もし、成年男子労働者よりも低い賃金で深夜労働を行わせることができれば、二交替制が三交替制に変化するのは当然の成行きであったろう。ところが、労基法第六二条第一項但書は、「交替制によって使用する満一六歳以上の男子」については、満一八歳未満の者であっても深夜労働を行わせることができるものとしている。この点に着目したのが「ふくろう」労働者制である。すなわち、全体の操業を三交替制とし、午前五時半から午後一一時まで、もしくは午前五時から午後一〇時三〇分までの一勤・二勤は女子労働者に担当させ、別に満一六歳以上満一八歳未満の男子を雇い入れて、これにもっぱら深夜の三勤を担当させるのであって、これにより賃金ベースを成年男子労働者なみに引き上げることなく機械のフル運転が可能となるというのである。しかしながら、このような「ふくろう」労働者制には問題がある。たしかに、交替制労働の場合に深夜業の禁止を緩和する立法例は、他にもないわけではない。たとえば西ドイツにおいては、女子および一八歳未満の者について午後八時から午前六時までの労働を禁止しながら、交替制をとる場合には、女子および一六歳以上の年少者については午後一一時までの労働をみとめている（労働時間令一九条一項・二項、年少者保護法一六条一項・五項）。しかし、交替制の場合に深夜業の禁止が緩和されるのは、夜勤による体力の消耗を昼勤によって回復することが予定されているからであり、したがって、「同一労働者が一定期日ごとに昼間勤務と夜間勤務とに交替につく勤務」（昭二三・七・五基発九七一）でなければならず、全体の操業が交替制であっても特定の労働者についてみればつねに深夜勤務を担当させられているような場合には、「交替制によって使用する」労働者とはいえない。

交替制勤務手当

二交替制労働の場合、時間外労働が行われないかぎり時間外割増賃金の問題は生じないが、それにもかかわらず「交替制勤務手当」を支給する例があることは前述した（一二一頁）。この交替制勤務手当は、「普通勤務の所定就業時間からずれた時間帯における交替勤務時間」（労務管理シリーズ・交替制度の実際六八頁）に対して、普通勤務時間外に労働することについての報償として、また交替制という異常な勤務形態をとることに対する報償として支払われるものであるが、これをめぐる問題点については、三交替制労働の項において併せて検討する。

三交替制労働は意外に少い

経済採算的必要性からくる交替労働制においても三交替制労働がとられることがあることは前述したが、その全交替制中に占める割合は意外に小さい。もちろん交替制労働そのものについていえば三交替制の占める比重は大きく、前述の中労委調査によっても製造業全体をとってみれば、三交替制（三組三交替のみ）が全交替制労働者の五五・五％をしめている。しかし、この数字には継続操業を必要とする業種の高率な三交替制労働がふくまれているのであり、継続労働が必要でなく経済的採算性の理由によって交替制労働をとる場合にのみかぎっていえば、たとえば機械工業では、交替制労働者が全労働者に対して占める割合は一三・三％にすぎず、そのうち二組二交替は六五・〇％であるのに対して三組三交替は一五・〇％にすぎない。このことは、後に交替制勤務に伴う諸手当の項においてみるように、法規上は問題はなくとも、交替制という変則的な労働形態に対する抵抗が強いことを示しているものと考えられる。

三交替制の労働時間は均等ではない

一日二四時間を三等分すると各八時間になる。これを労働時間七時間、休憩時間一時間（あるいは労働時間七時間一五分、休憩時間四五分）とすると、最も簡単な三交替制の編成ができる。中労委調査によれば三交替制を実施している製造業一四六社のうち一〇六社が所定週労働時間を四二時間としているのは、この形をとっているものと推測される。日経連の関東経営者協会が昭和三六年六月に行った調査でも三交替制各直の所定実労働時間の合計が二一時間台のものが七〇％を占めるというのも（前掲交替制度の実際三三頁）同様の趣旨であろう。

このような形の三交替制労働は法的にも最も問題が少い。実労働時間の点でも労基法第三二条の制限の範囲内であるし、二交替制の場合のように各直の所定労働時間をラップさせたりアキをつくったり、時間外労働でつないだりする必要もない。二組二交替制を実施している製造業九二社のうち各直の労働時間が連続しているもの四四、ラップ一六、アキ三二に比して、三組三交替制を実施している製造業一二六社中連続一〇一、ラップ一三、アキ一、その他一一（前掲中労委調査）という数字もこれを示している。したがって、三交替制の場合には、直の転換の方法と深夜業の割増賃金のみを考慮すれば法的には問題はないということに一応はなる。それにもかかわらず、前掲の数字からも明らかなように、三交替制をとりながら各直の労働時間が平均されていない例はかなりある。しかも、その中で、深夜業をふくむ三勤が最も労働時間が長いという例が少くない。これは主として通勤の便を考慮したものであろう（前掲交替制度の実際七九頁・一六五頁など）。また、各直の労働時間を八時間に近づけるためには拘束時間は八時間を超えなければならないが、そのためには各直の勤務時間はラップせざるを得ない。連続操業ではなく経済的採算性による交替制の場合には、それでも差支えないが、ラップ時間が大きいことは、かえって、生産効率上不得策となることがある。三交替制の場合に労働時間を八時間より短縮しても勤務時間のラップを避けるのはこのためである。

労働時間の計算は複雑になる　三交替制の場合には、どの直かの労働（通常は三直）は二日にまたがることになる。しかるに、一日の労働時間は暦日をもって計算するのが原則である（前述一六七頁）。もっとも、継続勤務は暦日を異にする場合でも一勤務として取り扱うべきもの（昭二三・七・五基発九六八）とされているから、そのかぎりでは問題はないとしても、勤番交替の場合に問題がある。たとえば、一勤（午前七時三〇分から午後三時三〇分）、二勤（午後三時三〇分から午後一〇時三〇分）、三勤（午後一〇時三〇分から翌日午後七時三〇分）を一週間ごとに交替させるものとして、つぎのような交替の方法をとったとする。

〈例一〉

	一勤	二勤	三勤
（土）	A	B	C
（日）	（週休）		
（月）	C	A	B
（火）	C	A	B

この場合に、Cは日曜日の午前七時三〇分まで勤務しているから、一暦日の休日は与えられていないことになる（労基法三五条参照）。しかし、Cに一暦日の休日を与えるためにCを火曜の一勤から勤務させると、AとBはまるまる二暦日を休むことになる。解釈例規はこの点につき、「三交替連続作業が行われている場合に限り、今後休日は継続二四時間を与えれば差支えないこととして取扱われたい」としている（昭二三・一〇・一四基発一五〇七）。この点は、つぎのような交替方法をとる場合でも同様である。

〈例二〉

	一勤	二勤	三勤
（土）	A	B	C
（日）	（週休）		
（月）	B	C	A
（火）	B	C	A

〈例一〉の形式を「順回り」、〈例二〉の形式を「逆回り」という。逆回りの場合は交替時における休息時間に差がありすぎる欠点がある（Aは五六時間、B・Cは三二時間）。順回りの場合はA・Bは四八時間となるがCは二四時間となる。ことに、交替時に週休がはさまらないときには、Cは前日の三勤と翌日の一勤とを連続勤務することになる。これらの点を考慮して、つぎのような交替方法をとっている例もある。

〈例三〉

	一勤	二勤	三勤
(土)	A	B	C
(日)	A	A	B（Cは交替休）
(月)	C	A	B

〈例四〉

	一勤	二勤	三勤
(土)	A	B	C
(日)	A	B	B（Cは交替休）
(月)	C	A	B

この場合、A（〈例三〉）、B（〈例四〉）が時間外労働となることはいうまでもない。この方法は、

操業休日をもたない連続操業の場合に多くとられるが、残業を固定化するところに問題がある。

交替制勤務に伴う諸手当　交替制勤務には、通常勤務にはみられない種々の手当がある。これを大別すると、交替制勤務そのものに対して支払われる交替制勤務手当と、これに附随する制度に伴うものとがある。附随する制度に伴うものとは、たとえば、呼出し手当、徹し手当などであるが、これについては、継続労働の節で述べる。交替制勤務手当は、企業によってさまざまであるが、前述したように、普通勤務の所定就業時間からはずれた時間帯における労働時間に対し二〇%前後の割増賃金を支払うもの（二交替制の場合）と、交替制勤務に従事する者に対し一勤務ごとに割増賃金を支給するもの（三交替制の場合）とがある。後者の場合は、一勤、二勤、三勤の順で率が高くなり、一〇%から二五%前後の割増率のものがある。このほかに、勤務一回につき三〇円というように定額を加給する場合もある。これらの手当は労基法上の時間外あるいは深夜割増賃金とは別のものであるから、時間外労働、深夜労働に対してはそれぞれ別に割増賃金が支払われるが、その場合でも、たとえば深夜割増率三〇%というように通常勤務の深夜労働より率をよくしたり、夜勤手当を別に支給したりする例がある。これらの手当は労基法上要求されているわけではなく、また、三交替制でも定時間労働であるかぎり特別の手当の必要はないし通常勤務者との間に収入の差を生じるという理由で支給していない例もある。しかし、三交替制が昼間働き夜休息するという通常の生活状態に反するということからくる苦痛、生活様式の不規則化にともなう家計の出費の増大に加えて、従来ある程度残業が恒常化していたのが交替制をとることによって定時間労働となり収入減をもたらすことに対する補償というような理由から、このような手当が発生したものと考えられる。

IV 継続労働
——第三の変型——

継続労働は交替制が不可欠

交替制労働であっても経済的採算性を理由とするのであれば、労働時間の調整のために操業を中断することも可能である。しかし、公共的必要性や生産技術的必要性から、交替制を採用する場合には、連続操業が原則であるから、労働時間の調整のために操業を中断することはできず、かえって連続操業に労働時間をあわせていかなければならない。そのために利用されているのが、交替制のうちでも特殊な形態に属する三組二交替、四組二交替あるいは四組三交替の制度であり、これに労基法第三六条の基準外労働と同第三二条第二項の変形労働時間制とが組み合されて複雑な形をとっている。本節においては、そのうち、監視断続業務と変則勤務とを除いた、比較的規則的な継続労働を取り扱う。

継続労働の交替制は、時間外労働、変形労働が多い

継続労働の場合の交替制の労働時間も、基本的には前節において述べたところと変るところはない。ただ、二交替制の場合は八時間労働と連続操業との調整をするために一勤と二勤との間を時間外労働でつなぐという方法がとられることがある。たとえば、拘束一二時間ずつの二直勤務で休憩が二回計二時間、実働一〇時間、そのうち二時間が時間外労働となるというような形である。このような形でも、三六協定が締結されているかぎり法に違反するものではない。しかし、本来例外的なものである時間外労働を恒常的なものとして勤務割をくむことに問題がある。解釈例規は、つぎのような例をあげている。一日一二時間二直を三組三交替で毎週七日操業とする。図に示すとつぎの通りである。

	日	月	火	水	木	金	土	日	月	火	水	木	金	土	日	月	火	水	木	金	土	日
一勤	B	B	A	A	A	A	A	C	C	C	C	C	B	B	B	B	B	A	A	A	A	C
二勤	C	C	C	C	B	B	B	B	B	A	A	A	A	A	C	C	C	C	C	B	B	B
休日	A	A	B	B	C	C	C	A	A	B	B	B	C	C	A	A	A	B	B	C	C	A

これによると労働時間は、三週間を単位とすると、一週は四八時間、他の二週は各六〇時間となるから、一週間につき四八時間をこえる一二時間を時間外労働とし、変形八時間労働（労基法三二条二項）として扱うというのである（昭二六・一〇・一〇基収四八一九）。労基法の定める変形労働時間

制は四週間を単位とするものであるが、解釈例規は四週間より短い単位の変形は差支えないと解しているようである（労働基準局・改訂版労働基準法上三一〇頁参照）。このことは、前節において述べたように通勤の便などから三勤の労働時間を長くした場合でも同様である。たとえば、三勤の労働時間を実働一〇時間、一・二勤を各五時間半として一週間ごとに勤番の交替を行えば、三週間を単位とする変形労働時間制を採用しなければならなくなる。

呼出し・徹し勤務

継続労働における交替制について更に考慮しなければならないのは、欠勤者が出たときの処置である。欠勤にそなえて常時予備員をおいておくわけにもいかないから、当日非番の者を臨時に呼び出すか、勤務を終えたものをそのまま徹して更にもう一勤務労働させるかの方法がとられることが多い。また、前節でみたように、勤務交替のときにも徹し勤務が行われることがある。このような呼出し勤務や徹し勤務も、労基法上は時間外労働の一種であるから、時間外割増賃金（および時間によっては深夜割増賃金）を支払えば足りる。しかし現実問題としては、交替制労働そのものが通常勤務に比して変則であるところへ、更に例外が加わるのであるから、このような呼出し勤務や徹し勤務を時間外労働として取り扱うだけでは十分ではない。そこで、呼出し勤務手当、徹し勤務手当の問題が生じる。

呼出し勤務手当には二種類ある

呼出し勤務手当には二つの考え方がある。一つは、呼出しに応じる手間に対して定額を支払うという考え方である。しかし、呼出し勤務によって労働者がうける苦痛は、呼出しに応じる手間だけでなく、本来の勤務外に呼び出されて勤務させられるという点にもあるとすれば、呼出し勤務の労働そのものに対して何らかの手当を考えることもできる。ある例が、「呼出し出勤手当は休養中呼出しを行った労働に支給し、時間割賃金をふくみ五割割増とする」と定めているのは、後者であろう。

徹し手当は二日分労働

徹し手当というのは、一勤務を終って引き続き更に一勤務労働させる場合に支給する手当である。労基法上は、これも基準外労働の一種にすぎないから、時間外割増賃金（および場合によっては深夜割増賃金）を支払えば足りる。しかし、すでにみたように一日の労働時間が八時間という考え方が残業を八時間以上したときには代休を与えるという制度を生みだしている（一二四頁参照）とすれば、同じように、その本質は基準外労働の一種であっても、引き続き二労働日分の継続勤務を行った場合には一般の基準外労働として特別手当を支給しようという考え方を生じるのは、さして不思議ではなく、ことに、その継続労働が三交替制の中で行われるのであればなおさらである。この点についても、つぎのような規定例がある。

「臨時徹しを行ったものはその翌日、やむを得ない場合は当該賃金締切期間内の一勤務日を無給休暇とし休養させるのを原則とするが、右の原則を実施できなかった場合は左の無休臨時徹し手当を支給する。

一　日給者　一回につき　基本給日額の三〇%

二　月給者　同　基本給月額の一%

右の徹し手当には時間割賃金をふくまない。

二四時間内に引き続きまたは断続臨時二勤務を行った場合および就業時間が一勤のみであるものが二四時間内に休憩時間を含め一六時間以上勤務した場合を臨時徹しという。」

休日のとり方はむずかしい　継続労働の交替制の場合には、週休の定め方が問題になる。連続操業であるから、一斉に週休を定める方法はとれないので、交替制の合間をぬって個人別に週休を定めることになる。週休は日曜日にかぎらないからそれでも差支えないわけであるが、前述（一三一頁）のように、日曜・休日には労働させないという原則をとりながら個人別指定休日制をとる場合には、日曜日以外に休日を指定された労働者については日曜日の労働が休日労働として取り扱われ、指定休日はその代休日と考えられることになる。紙パ産業ではこれを指定代休制とよび、従来日曜日が休日であったという観念がぬけきれていない過渡的なものとして、しだいに完全な指定休日制に移行しつつあるといわれている（前掲交替制度の実際一五九頁）が、反対に港湾事業においては指定休日制から指定代休制にきりかえられようとしている（一三一頁参照）ことに注意する必要がある。

このように指定休日制をとる場合、四組三交替のように予備の勤務班があれば問題はないが、予備員のないときは、その間隙を時間外労働でつなぐか変形労働時間制によるか以外に方法はない。ここにも、継続労働のなやみがある。

V 特殊労働
——第四の変型——

特殊労働として扱う範囲

労基法施行規則第二六条ないし第二八条は労基法第四〇条に基づいて労働時間の特例を定めている。これらの規定は、その形式においては（施行規則二六条の二を除き）、一日八時間・一週四八時間の労働時間の制限を緩和するとともに、その変形を認めたものである（したがって時間外労働も、その緩和された労働時間を超えたときに問題となる）が、すでに本章IIでみたように施行規則第二七条の例外が商店などにおける長時間営業に対処するためのものであるのに対して、その他の規定は公共的必要性と労働密度とを考慮したものである。したがって、理論的には必ずしも正確ではないが、これらを労基法第四一条第三号と併せて特殊労働として取り扱うこととする。

特殊日勤勤務および一昼夜交替勤務　運送業（労基法八条四号）と貨物取扱業（同五号）の一部の業務に従事する労働者で特殊日勤または一昼夜交替勤務に就く者については、一日について一〇時間、一週間について六〇時間労働させることができ、またその変形として、四週間を平均して一日一〇時間・一週間六〇時間を超えない定めをして、その定めによって働かせることができる（施行規則二六条）。したがって、一週間六〇時間を超えたときにはじめて時間外労働となるのは他の例外の場合も同様である。これらの労働は拘束時間が長いが手待ち時間が多い労働密度の薄い勤務であるためにこのような例外を設けたものであって、貨物取扱業については、通運事業法第二条第一項第一号から第四号までに掲げる業務、すなわち、「(1)自己の名をもってする鉄道（軌道及び日本国有鉄道の経営する航路を含む。以下同じ。）による物品の運送の取次又は運送物品の鉄道からの受取、(2)鉄道により運送される物品の他人の名をもってする鉄道への託送又は鉄道からの受取、(3)鉄道により運送される物品の集貨又は配達（海上におけるものを除く。）、(4)鉄道により運送される物品の鉄道の車輛（日本国有鉄道の経営する航路の船舶を含む。）への積込又は取卸」の業務に従事する者に限られ、運送業、貨物取扱業を通じて、労働密度の大きい列車・気動車・電車・自動車・航空機等に乗務する運転手・車掌その他すべての乗務員には適用されない。また、拘束時間が長く労働密度の薄いことによる例外であるから、一日あるいは一週間の労働時間の延長もさることながら、最も大きな意義は、その変形労働時間制の運用にあるといえよう。

特殊日勤の労働時間　国鉄において明治年間から実施されてきた、夜行列車のない閑散駅区等の職員の勤務の一形態である。勤務が二暦日にまたがらないという点では日勤であるが、通常勤務に比して拘束時間が長いので特殊日勤とよばれる。しかし、このような勤務形態を無制限にみとめると、労働密度の大小、労働時間の長短によっては弊害を生じるので、この勤務形態をとるときはその員数、業務の種類、勤務の態様について労働基準監督署長の許可を要することとしている（様式一二号）。現在のところ解釈例規においては左記の暫定的基準が国鉄について定められているのみであるから、私鉄および貨物取扱の業務については、この勤務形態は許可されない（昭二五・三・一八基発二一七）。

「一、特殊日勤勤務の許可は次の者について行うこと。

(1)　駅及び信号所における一日一八時間以内の勤務であって、その間における関係列車数三〇回（電車、自動車若しくは気動車の場合又は信号所については四五回。以下同じ）以下の駅務に従事する駅員。ただし、関係列車回数が三〇回にみたない場合であっても、総列車回数が三五回（電車、自動車若しくは気動車の場合又は信号所については五二回）以下の場合に限る。

（注）　駅務の処理につき職名の如何にかかわらず共同してこれに当る場合の列車回数は関係者全員に及ぶものとする。

(2) 執務時間中における列車回数（電車、気動車についても同じ）六〇回以下の第二種踏切（踏切警手の出場時間が定められているもの）に勤務する職員。

二、前号(1)に定める関係列車回数が三〇回以上の駅務に従事する者であっても、別紙の計算法による実作業の密度が七〇パーセントを超えるものについては特殊日勤勤務としては許可しないこと。

（別紙）

「二」に定める実作業密度の計算は次の各号によること。

(イ) 一回の停車列車による実作業時間を二〇分とする。ただし、

(a) 始発列車又は終着列車については三〇分とする。

(b) 行違列車は一組の行違列車について一回の列車とみなし、二五分とする。

(ロ) 一回の通過列車に要する作業時間は一〇分とする。

(ハ) 勤務時間規定による一日の勤務時間（初列車到着時刻前三〇分から終列車出発後三〇分までの時間。ただし、始発列車の仕立又は終着列車の分解作業を行う駅においては、それぞれ一時間とする。以下同じ）から所定の休憩時間及び(イ)及び(ロ)に定める取扱列車に要する実作業時間を差引いた残りの時間の二分の一を実作業時間とみなす。

(ニ) 前記(イ)(ロ)(ハ)により計算した一日の実作業時間を勤務時間規定による一日の勤務時間で除したものを実作業の密度とする。

(ホ) 電車、自動車又は気動車については(イ)及び(ロ)の実作業時間はそれぞれに定める時間に四五分の三

○を乗じたものを用いるものとする。」

一昼夜交替勤務の労働時間　国鉄の駅区等において明治年間以来採用されていた勤務形態の一種であって、継続二四時間の勤務後継続二四時間の非番という形を繰り返すものである。この場合、非番の日は継続二四時間の休息を与えられるものではあるが、それは変形労働時間制の範囲内のものであって労基法第三五条の休日にはあたらず、このほかに週一回の休日を与えなければならない。

この一昼夜交替制の場合は、夜間に継続四時間以上の睡眠時間を与えなければならないばかりでなく、本来、比較的労働の密度が薄く、業務の性質上やむを得ないものに限ることを予定していたのであるが、ハイヤー、タクシーの運転手について労働密度が過密であるにもかかわらずこの制度を利用（特殊日勤の場合と異り労働基準監督署長の許可を必要としない）することによって交通事故増加の原因となっていたため、昭和二九年の施行規則改正時に乗務員について適用を排除し、ハイヤー、タクシーの運転手の勤務形態は根本的にあらためられることになった（ただし、猶予期間があった）。

運送事業の休憩時間　運送業の労働者については一せい休憩の規定（労基法三四条二項）は適用されない（施行規則三一条）。なお、乗務員については後述（二〇五頁）の特例がある。そして、実際には、労働時間の変形と休憩時間の特例とが組み合され、複雑なからみ合いをしながら運送業の勤務形態を構成するのである。

郵便局の労働時間　屋内勤務者三〇人未満の郵便局で郵便・電信または電話の業務に従事する者については、四週間を平均して一日の労働時間が一〇時間、一週の労働時間が六〇時間を超えない定めをした場合には、これによって労働させることができる（施行規則二八条）。主として特定局を対象とするものであるが、普通郵便局と異って労働密度が薄いことと、郵便業務の公益性への考慮とによるものである。この規定は、一日一〇時間・週六〇時間制を規定せずその変形のみを規定していることに特色があるが、これは国の行う事業以外に存在せず、かつ、これらの業務が変形勤務を常態としているもののみであったからで、一日一〇時間の日勤勤務も就業規則で定めるかぎり禁止されるものではない。この業務については休憩（労基法三四条）の規定の適用は除外される（施行規則三二条）。

警察官、警察吏員、消防吏員または常備消防職員　警察および消防関係職員については、一日について一〇時間、一週間について六〇時間まで労働させ、または、その変形を定めた場合には、その定めによって労働させることができる（施行規則二九条）。業務の公共性によるものである。休憩についても、一せい休憩および自由利用の原則は適用されない（施行規則三一条・三三条）。ただし、警察官のうち国家公務員の適用をうける者には労基法の適用はなく、また、消防吏員および常備消防職員とは、消防法に基づき地方公共団体が雇用する消防職員であって、民間の工場・事業場における消防職員はふくまれない。

休憩時間自由利用にも例外がある　労働基準法における休憩時間の例外は一せい休憩の原則に関するものが主であるが、自由利用の原則の適用が除外されるものがある。勤務の性質上休憩時間中であっても一定の場所にいなければならないためであって、つぎのとおりである（施行規則三三条）。

(1)　警察官、警察吏員、消防吏員、常備消防職員、監獄官吏、少年院教官および教護院に勤務する職員で児童と起居をともにする者

(2)　乳児院、養護施設、精神薄弱児施設、盲ろうあ児施設、虚弱児施設および肢体不自由児施設に勤務する職員で児童と起居をともにする者

「児童と起居をともにする」とは、「交替制或は通勤の者を含まない趣旨であって、保母、看護婦等で四六時中児童と生活をともにする者をいう」（昭二七・九・二〇基発六七五）。(2)の場合には、その該当する労働者数、収容する児童数および勤務の態様について労働基準監督署長の許可を受けなければならない（様式一三号の二）。

監視・断続的労働も特殊労働　特殊労働として右に述べてきた労働時間の例外も、程度の差こそあれ、本質的には、労働密度の薄い労働であり、そのうち特別のものについて特別の扱いをしているものといえよう。これと同趣旨の規定が労基法第四一条第三号の監視・断続的労働についての特例（そのうち宿・日直勤務については一三四頁において述べた）である。

監視・断続的労働の意義については、すでに旅館の項（一七〇頁）において述べたので、ここでは、監視・断続的労働として扱われているものの種類と勤務の態様についての実例の若干を紹介するにとどめる。

監視・断続的労働とは　監視・断続的労働には、その作業の性質そのものが監視・断続的なものと、三交替制などに附随して長時間にわたって作業が行われるために監視・断続的労働となるものとがある。いずれにせよ、通常の労働者に比して労働密度が薄いために労基法の労働時間・休憩　休日の規定の適用を除外するのであるから、「犯罪人の監視、交通関係の監視等精神緊張の著しく高いもの」（昭二二・九・一三発基一七）は許可されないし、工場労働のごとく動力・資材がある限り断続的に作業しうるものについては、労働の途中にしばしば休憩時間をおいたりして人為的に継続的な労働形態をつくりだしても断続的労働とはいえない。

作業の性質上の監視・断続的労働　作業の性質上、監視・断続的労働に属するものとして認められているものには、つぎのようなものがある。

一日交通量一〇往復程度の踏切番（昭二二・八・一三発基一七）、小学校の小使（昭二三・五・一四基発七六九）、高級職員専用自動車運転手（昭二三・七・二〇基収二四八三）、灯台における労働（昭二三・九・二〇基収三三五〇）、寄宿舎専属の寮母、看護婦（昭二三・一一・一一基発一六三九）、住宅公団専任管理人（昭三二・四・一基収一六九〇）、住宅公団管理員（昭三四・一一・二七基発八一一）、水力発電所水路保守関係勤務員（昭二三・一二・一五基発一八一三、昭三三・二・一三基発九〇）。

これに反してつぎのものは、手待ち時間がほとんどなく、労働密度が高いかもしくは危険・有害業務に属するので、監視・断続的労働としては認められない。

汽罐夫（昭二三・九・一三発基七一）、新聞配給従業員（昭二三・二・二四基発三五六）、タクシー会社の自動車運転手（昭二三・四・五基収一三七二）、常備消防職員（昭二三・五・五基収一五四〇）、製氷作業員（昭二三・七・二〇基収二四八三）、高圧線の保守等危険業務従事者（昭二三・一一・二五基収三九九八）、水力発電所勤務員（自動化されて労働密度が薄くなったものを除く）、変電所勤務員（同上）、送電線（通信線）保守関係勤務員（発送電関係—保線区または散宿所勤務員、配電関係—保線所勤務員）（昭二三・一二・一五基発一八一三、昭三三・二・一三基発九〇）。

交替制労働に附随する監視・断続的労働

交替制労働に附随する業務で監視・断続的労働に属するものとみなされるものには、つぎのようなものがある。

旅館の炊事係（昭二三・四・五基発五四三）、病院の賄人、坑内労働につき（昭二五・九・二八基発八九〇）坑内門番、戸番、火薬番、見張番、守衛、道具番、坑内検身夫、配電板監視人など一定部署に在って監視する業務、エンドレス監視、車道番、人道番、信号夫など運搬の見張または監視の業務、捲手、人車車掌など運搬機械の操作およびその注油、日常の手入等の業務、揚水ポンプ運転夫、圧縮機運転夫、扇風機運転夫など一定部署にあって機械の運転およびその注油、日常の手入等の業務（ただし切羽の掘進と共に推進する機械を運転する者その他切羽の掘進と共に移動する者を除く）。

監視・断続的労働の労働形態

監規・断続的労働の労働形態すなわち勤務時間割は、一様ではない。労働基準監督署長の許可をうけなければならず、また前述のように詳細な許可基準が設定されているのであるから、一応の原則はあるはずであるが、実際には業務によって異るし、関連業務の態様、操業時間の長短、監視・断続的労働そのものに交替制を採用するかどうか、労働密度との関連で休憩時間をどのように配置するか、拘束時間をどの程度にするかなどによって著しい差異を生じる。以下には若干の実例をかかげる（なお一七二頁参照）。

＜例一＞（鉱業）

水　番　午前七時―午後七時

ポンプ番　午後七時―午前七時

（手待ち随意、公休なし）

浴場火夫　午前六時―午後六時

午後六時―午前六時

（手待ち随意、公休なし）

着到捜検夫　午後二時―午後一一時

午後一〇時―午前七時

救急車運転手　午前一二時―午後一〇時

クラブ賄人　午前八時―午後六時

＜例二＞（海運業）

警備員　始業　午後五時　終業　翌日午前八時

警備の間断に前後を通じおおむね全勤務時間の二分の一の休憩時間を与え、かつ警備に支障をきたさない限度で休憩中仮眠を許す。

＜例三＞（パルプ製紙業）

守　衛　三日間を通じて二四時間労働とし、つぎのとおり三交替とする。

	甲　番	乙　番	丙　番
第一日	八・〇〇―一六・〇〇	八・〇〇―八・〇〇（一六時間）	休　日
第二日	八・〇〇―八・〇〇（一六時間）	休　日	八・〇〇―一六・〇〇
第三日	休　日	八・〇〇―一六・〇〇	八・〇〇―八・〇〇（一六時間）

小　使　始業　八・〇〇　終業　一七・三〇
（九時間三〇分。休日は一般と同じ）

自動車運転手
荷役作業者　始業　八・〇〇　終業　一六・三〇
（八時間三〇分。休日は一般と同じ）

食堂勤務者　始業　九・〇〇　終業　一八・〇〇
（九時間。休日は一般と同じ）

＜例四＞（放送通信業）

労働基準法第四一条第三号に該当する職員の勤務時間および休日については、つぎによって別表のとおり定める。

一　勤務時間は、二週間のうち一週間を五六時間、他の一週間を四八時間とする。ただし待機時間および睡眠時間を含む。

二　休日は二週間に一日とする。

＜例五＞（陸運業）

自家用自動車運転手　始業　午前八時　終業　午後六時
　休憩　分割して約一時間
　始業　午前八時　終業　午後八時
　休憩　分割して約三時間

倉庫夜警　始業　午後六時　終業　翌日午前八時
　休憩　分割して約五時間

クラブ住込み勤務　始業　午前六時　終業　午後一〇時
　休憩　分割して約七時間

＜例六＞（無機工業薬品）

寮勤務者　始業　午前六時　終業　午後一〇時
　一従業員の拘束時間は九時間とする。

乗用自動車運転手　始業　八時三〇分　終業　一九時
　一従業員の拘束時間は一〇時間三〇分とし、業務に支障のない場合は一般従業員の就業時間を準用する。

VI　変則労働
——第五の変型——

乗務員労働は変則労働

前節までにみてきたのは、八時間労働制の基本型からみれば著しく変則であるにせよ、ともかくも一定の労働のリズムにしたがって労働時間の型が定まっていたものであった。しかし、現実には、どのように操作をしても一定の労働のリズムにのらないものがある。それは、交通機関の乗務員である。そこでは、労働のリズムにしたがって操業が行われるのではなく、反対に操業そのものが不規則なリズムをみせ、そのリズムに合せて労働時間が規整されざるを得ない。この場合には、労働のリズムは操業のリズムに完全にひきまわされることになる。ＩＬＯ条約が「路面運送における労働時間および休息時間の規律に関する条約」（六七号）を定め、労基法が交通機関の乗務員の労働時間に関する特例を定めているのも、そのためである。しかし、現実には、交通機関の運営の実態が複雑であるだけに、そのすべてにわたって厳格に検討を加えることは至難の業に属する。したがって、ここでは、労基法の規定を概観したのちに、その実際の適用形態の実例を二、三示すにとどめる。なお、これにともなって乗務員以外の労働者（駅区、改札、出札など）の労働時間も通常勤務とは異ったものになるが、その点は、すでに述べた交替制労働、継続労働、特殊労働の節を参照のこと。

乗務員の労働時間の特例　屋内勤務者三〇人未満の郵便局において郵便・電信または電話の事業に従事する者と同じように、運送事業（労基法八条四号）に従事する労働者のうち列車、気動車、電車、自動車、船舶または航空機に乗務する機関手、運転手、操縦士、車掌、荷扱手、列車手、給仕、暖冷房乗務員、電源乗務員および鉄道郵便乗務員で長距離にわたり乗務するものについては、労基法第三四条の規定にかかわらず、休憩時間を与えないことができる（施行規則三二条一項）。

使用者は、乗務員で「前項（施行規則三二条一項）の規定に該当しないもの」については、その者の従事する業務の性質上、休憩時間を与えることができないと認められる場合において、その勤務時間中における停車時間、折返しによる待合せ時間その他の時間の合計が労基法第三四条第一項に規定する休憩時間に相当するときは、同条の規定にかかわらず、休憩時間を与えないことができる（同条二項）。

この場合に、「長距離」とは、粁程ではなく時間的距離をいい、六時間以上を要するものと解されている（昭二九・六・二九基発三五五）。「前項の規定に該当しないもの」すなわち長距離にわたり乗務する以外の乗務員とは、ダイヤその他の関係で折返し運転を行う列車、電車、自動車等に引き続き乗務する乗務員または異った列車、電車等に乗り継いで乗務する乗務員をいう。

乗務員の特例は限定列挙　右は交通機関の運行の都合上休憩時間をとることができないための例外であり、従来は「車掌、荷扱手その他これに準ずる者」と規定して許可制をとっていたが、昭和二九年の改正時に許可制を廃止するとともに乗務員の範囲を明確にしたものであるから、右に掲げた乗務員は限定列挙である。しかし、「機関手」には機関士、機関助士、電気機関士がふくまれること、航空機のスチュアーデスが「給仕」にふくまれることは当然であろう（昭二九・六・二九基発三五五）。なお、列車食堂の従業員は労基法第八条第一四号の事業に属するから、本条の適用はない。

運送事業の予備勤務員　運送の事業（労基法八条四号）に従事する労働者であって列車、気動車または電車に乗務する者のうち、予備の勤務に就くものについては、四週間を平均して一週間の労働時間が四八時間を超えない限りにおいて、労基法第三二条第二項の規定にかかわらず、一日について八時間、一週間について四八時間を超えて労働させることができる（施行規則二六条の二）。

予備員の勤務は突発的例外のため　右は昭和二九年の施行規則改正にあたって追加されたものであって、労基法第三二条「第二項」の規定にかかわらずであるから、あらかじめ就業規則で特定することなく変形労働時間制をとりうることとしたものである。これが予備員のみに適用されるのは、本来の乗務勤務者は交番表によって計画的に勤務時間が指定されているのに反し、予備員の場合は、これらの乗務員が不時の欠勤その他の理由で欠けた場合にその補充となるとか、突発的な事情による臨時列車の運行にそなえるために待機させられるもので、変形労働時間制をとるにしても、あらかじめ定めておくことが困難なために、このような例外を定めた。

乗務員の労働時間は特例と変形の組合せ　運送事業の乗務員の労働時間は、右の特例および労基法第三二条第二項の変形労働時間制との組合せによって成り立っているが、その具体的な形態は業務の内容によって千差万別である。乗務員のすべてに通ずる基本的な原則があるわけではなく、運輸機関の運行の状態にあわせて定められるので、毎日、各労働者個人ごとに変化する。以下、その代表的なものについて若干の例を検討することにする。

タクシー業の乗務員　交通機関の乗務員のうちでもタクシー運転手の勤務形態は比較的簡単である。運行ダイヤに拘束されることがないからである。ただ、営業場所が車輌とともに移動するので、通常の交替労働制の形態では交替のつど事業所に帰らなければならないために、効率をいちじるしく損う。そこで、営業時間いっぱいに継続労働させた後に交替するという一昼夜交替勤務制がとられた（旧施行規則二六条）が、昭和二九年の施行規則の改正によってそれができなくなったことは、すでに述べたところである。したがって、現在では、つぎのような勤務形態が多くとられている。

〈例一〉

第一日　始業　午前八時　　終業　翌日午前二時

第二日　明　番

第三日　始業　午前八時　　終業　翌日午前二時（以下繰り返す）

　休憩二時間

〈例二〉

第一日　公　休

第二日　八・〇〇―翌二・〇〇　　翌七・〇〇―八・〇〇

第三日　非　番

第四日　八・〇〇―翌二・〇〇　　翌七・〇〇―八・〇〇

第五日　非　番

第六日　八・〇〇―翌二・〇〇　　翌七・〇〇―八・〇〇

第七日　非　番

第八日　公　休（以下繰り返す）

　休憩は午前一一時から午後二時までの間に一時間、そのほかに二時間。

右〈例一〉においては、拘束一八時間、休憩二時間、実働一六時間である。この一六時間は一継続勤務であるから、二暦日にまたがっていても一日の労働と解され（昭二三・七・五基発九六八）、八時間を超える分は本来なら基準外労働となるのであるが、翌日が非番となるので、結局一週間（公休をふくめ）に四八時間労働となり、労基法第三二条第二項の変形労働時間制を採用することによって基準外労働がないことになる。このような形における一出勤を出番とよび、たとえば月一三出番は二六日稼働となる。また、この場合に非番の日は休日とはみとめられない（昭二三・一一・九基収二九六八）から、このほかに一週間に一回の休日を与えることになる。ハイヤーの場合には、若干形態を異にしているが、基本的な考え方は同様である。

このように、タクシーの場合には、法の規定との関連では一応のつじつまは合うのであるが、実際には問題がないわけではない。第一に、終業時間が午前二時であるために、終業しても家に帰ることができない例が多いことである（前述三交替の場合に通勤の便を考慮して勤務時刻を修正していることと比較せよ）。したがって、始発電車時刻までは事業所で仮眠することになるが、このような形で午前二時に終業したといい得るかどうかは考慮すべきであろう。つぎに、このような勤務形態では一車輛を二人の労働者が共用することになるから、その引継ぎのために洗車しなければならないが、その車輛洗い、点検整備は通常は午前二時の終業後に行われており、しかも相当の時間を要している。就業規則上は午前二時まで車輛洗い、点検整備をすることになっており、労働者がぎりぎりまでかせぐために車輌洗いが午前二時以降になるというのであればやむを得ないが（その場合にも賃金の歩合制の問題はのこるが）、使用者が終業後に車輌洗いをするよう指示しているとすれば、労働時間に算入すべきではなかろうか（七三頁参照）。

最後に、法的には問題はないとしても実際上は非番日はほとんど休養に用いられ、家庭生活が不規則になることにも問題がある。

バス、鉄道、航空機　バスのうちでも観光バス、貸切バスなどの乗務員の勤務時間については比較的問題はないが、定期路線バス、鉄道、航空機などは、ダイヤが定まっており、それにしたがって乗務するわけであるから、労働時間を正確に八時間に区切るわけにはいかず、四週間平均一週四八時間の変形労働時間制を採用せざるを得ない。しかも、乗務割当を固定化させたのでは変形労働時間制を実施するにしても四週間平均一週四八時間の配分は困難であるし、また割り当てられた時刻（たとえば早朝、深夜）や路線（長距離、近距離その他）の如何によっては、従業員の間に不均衡を生じる。そこで、通常は左のような原則的規定をおき、具体的には各労働者ごとに勤務交番表または仕業表（六頁参照）を作成し、これを通常は月ごとに交替させている。すなわち、ある労働者Aについていえば、その乗務勤務割は毎日変化するが、それは一週間を単位として回転する。そして、このような一週間単位の交番表が労働者BにもCにもそれぞれ作成されており、それが月ごとに変更されることになる。

<例一> 定期バス関係乗務勤務

八時間日勤として、系統表により毎日始業・終業時刻を異にする。

<例二> 列車区乗務交代

就業時間が一循環につき一日平均七時間となるように列車区または自動車区ごとに定める。

休憩時間は始業・終業の間に分割して一循環につき平均一時間。

中休時間(二一三頁参照)を設けるときは、三時間以上五時間以内とする。

右の交番表作成にあたってつぎのような問題がある。

ハンドル時間 労働時間は四週間を平均して一週四八時間を超えてはならないことはいうまでもない(労基法三二条二項)が、そのほかに実乗務時間の制限を考慮しなければならない。俗に「ハンドル時間」とよばれるものであって、ILO条約(六七号)では、「車輌の走行時間中に行われる労働において費される時間」といい、つぎのように定義している(四条(b))。

「車輌が当該労働日の初めに出発する時より車輌がその労働日の終りに停止する時までを言う。尤も、車輌の走行が権限ある機関により定められる時間を超えて中断され、その間車輌を操縦し若しくはこれに乗り込む者がその欲する通りに自由に使用することができる時間又は補助的労働を行う時間を除く。」

このハンドル時間は労働密度がきわめて高く緊張度が強いので、ILO条約は五時間を超える継続的時間操業を禁止している（一四条一項）が、すでにみたように（六頁）、わが国でもハンドル時間を制限しているのが通常である。すなわち、国鉄の場合には、労働時間は一週間平均四八時間、ハンドル時間に相当する「平均換算勤務時間」は一日平均五時間三〇分に制限されており、私鉄総連では、一日拘束八時間、実働七時間、実乗務時間五時間三〇分を目標としている。

休憩時間を設けないこともある　乗務交番表には休憩時間を特に設けないことがある。いくつかのダイヤを組み合せて乗継ぎ・乗換えによって交番表を作成する場合には、まとめて休憩時間をとることができないからである。たとえば、国鉄の仕業表でも、労働時間を実乗務、便乗、準備、徒歩、待合、訓練に区分してあるだけで、休憩という項はない。しかし、長距離以外の乗務で休憩時間を与えないことができるのは、その勤務中における停車時間、折返しによる待合せ時間その他の時間の合計が労基法第三四条第一項に規定する休憩時間に相当するときだけである（施行規則三二条二項）。そこで、停車時間、待合せ時間の如何なる部分を右の「休憩時間に相当する」時間に算入すべきかという問題が生じる。極めて短時間の停車時間、待合せ時間をすべて算入することとすれば、疲労度は極めて大きなものとなり、法の趣旨を没却することになるからである。実例としては、五分間未満の待合せ時間はハンドル時間とみなしているものがある。この、待合せ時間の長さの最小限を定めることは、ハンドル時間の算定にも関係してくる。前述したように国鉄では、ハンドル時間のみを算定するのではなく、労働時間を1、その他の時間を12として換算し、換算勤務時間を五時間三〇分としておさえている（たとえば一日八時間のうち実乗務時間四時間とすれば換算勤務時間は六時間となる）のであるが、この場合でも、待合せ時間の長さの最小限を定めることは無意味なことではない。

ダイヤの繁閑も関係する　乗務員の労働時間についても、ダイヤの繁閑による影響を考慮することが必要となる。とくに、ラッシュ・アワーは朝と夕方に集中するのが通例であるから、旅館の項において述べた（一六五頁）と同様に、時差出勤や、実働時間の途中に長時間の休憩時間（前述＜例二＞の「中休時間」）をいれることが行われている。その一例を引用すると、つぎのとおりである（就業規則の作り方一八二頁より）。

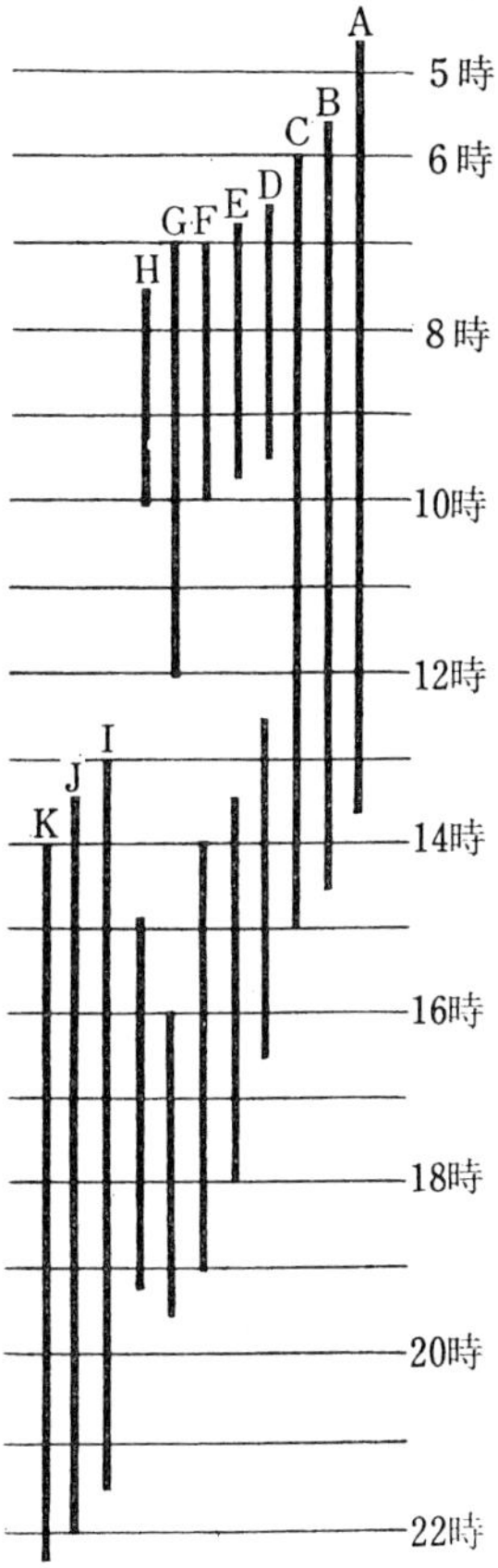

A B C D E F G H I J K

5時
6時
8時
10時
12時
14時
16時
18時
20時
22時

VII 適用除外

農林業、畜産・養蚕および水産の事業には労働時間制限はない

農林業（労基法八条六号）、畜産・養蚕および水産の事業（同七号）については、労基法の定める労働時間、休憩および休日に関する規定は一切適用されない（労基法四一条一号）。のみならず、女子・年少者についての深夜業禁止の規定も適用が除外される（労基法六二条三項）。これは、右の事業が天候などの自然的条件に左右されるために労働時間の規整になじまないためである。この分野で労働時間がどのように定められているかは、今後検討を要するところである。

むすび

——時間短縮への展望——

八時間労働は、ある面では発展している

いままで検討してきたところによると、八時間労働制は、ある面では、労基法の規定をのりこえて前進している。そこでは、残業規制、週休日の固定化、代休制、交替勤務手当など、労基法の規定の不備、あるいは労基法が予定した八時間労働制の例外などとは関係なく、現実の必要に応じて八時間労働制は発展をつづけている。その意味では、正に労働時間は、労働者の健康保持ならびに労働再生産に必要な限度という肉体的な限界と「労働者がおかれている生活水準、社会的諸条件から生じる精神的・社会的欲望という文化的・社会的な限界」とによって推進されてきたといえよう。

八時間労働の崩壊は警戒を要する

しかし、いったん目を継続労働、特殊労働、変則労働の領域に転じると、そこでは労基法が予定した例外的措置が完全に、時としては悪用といっていいくらいに利用しつくされ、それが、労基法が予定しなかった規定の不備と相まって、八時間労働制は極端に変形されてしまっている。そこでは、労働者の生活のリズムは異常なまでに乱され、「八時間の仕事と八時間の睡眠と八時間の遊び」(Eight hours' work, eight hours' sleep, eight hours' play) という八時間労働制の理念は崩壊し、しいていうならば、その労働形態が八時間労働制から変化したということによって、かろうじて八時間労働制は観念的にのみ生き残っているということができるだけである。ここでは、八時間労働制という労働形態の理想像は、操業形態の必要性という現実によってその基礎を掘りくずされてしまったのである。

時間短縮と八時間労働の再検討

現在進行しつつある労働時間の短縮には、労働日を単位とする方法(一日の労働時間を短縮するもの)、労働週を単位とする方法(週休二日制をふくむ)、月を単位とする方法、年を単位とする方法(年次有給休暇の延長、長期休暇の新設、祝祭日休日の増加、その他の休日の新設)、一生を単位とする方法などが考えられる(高橋武「労働時間短縮の国際的動向と考え方」日本労働協会・時間短縮三六頁以下)。そのいずれの方法をとるにせよ、長い間つみ上げてきた八時間労働制(それは、二四時間の三分の一というきわめて便利な単位でもある)のリズムに修正が加えられることになる。その際に、もし従来における八時間労働制の展開ないし変型に対する十分な検討が加えられることなしに時間短縮がすすめられるならば、一方において発展しつづける労働時間制と他方において崩壊しゆく労働時間制との間の矛盾・落差はいよいよ大きくなっていくであろう。今後の時間短縮問題の進展にあたって、八時間労働制の過去の実態と実績とを再検討する必要も、ここにあるといえよう。

事 項 索 引

あ　行

か　行

さ　行

た　行

な　行

は　行

ま　行

や　行

ら　行

わ　行

条 文 索 引

（Ⅰ Ⅱは項，①②は号）

著者紹介

萩沢清彦（はぎさわ きよひこ）

1924年　生

1947年　東京大学卒業

現　在　成蹊大学政経学部助教授

主要著書

判例労働法（昭33・青林書院）
日本の団体交渉（昭38・日本労働協会）
註解労働基準法Ｉ（昭39・勁草書房）
労働法教室（昭39・有斐閣）
解雇（経営法学全集15巻）（昭41・ダイヤモンド社）

有斐閣双書

八時間労働制

昭和41年8月25日　初版第1刷印刷
昭和41年8月30日　初版第1刷発行

著作者　萩沢清彦

発行者　江草四郎

発行所　株式会社　有斐閣
東京都千代田区神田神保町2～17
電話　東京（265）6811（代表）　振替口座東京370番

印刷　明石印刷株式会社　製本　稲村製本

八時間労働制　有斐閣双書（オンデマンド版）

2013年3月15日　発行

著　者　萩沢　清彦
発行者　江草　貞治
発行所　株式会社 有斐閣
〒101-0051　東京都千代田区神田神保町2-17
TEL　03(3264)1314（編集）　03(3265)6811（営業）
URL　http://www.yuhikaku.co.jp/

印刷・製本　株式会社 デジタルパブリッシングサービス
URL　http://www.d-pub.co.jp/

AG614

ISBN4-641-91140-1　Printed in Japan